幸運を引き寄せる働き方

彼らが成功する前に大切にしていたこと

上阪徹

ダイヤモンド社

彼らが成功する前に大切にしていたこと

――幸福を引き寄せる働き方

はじめに

「たまたま」で会社を選んでいた大会社の社長たち

文章を書くことを仕事にしたことで、大企業の社長や起業家、科学者など、いわゆる社会的に成功した方々にたくさん取材する機会を得てきました。その数は、３０００人を超えています。

誰もが知る有名な会社の社長も少なくなく、「こんな機会はない」と本来のインタビュー項目になかったこともよく聞かせてもらいました。しかも、さらりと本音が聞けるようなシチュエーションで。

例えばカメラマンが撮影の準備をして、少し待っている間。これが最も多かったかもしれません。インタビューで会話が少しこなれてきたところで、するすると近づいていき、こんな質問を投げかけるのです。

「どうして、この会社に入られたのですか？」

なんたって社長です。さぞやこの会社が大好きで入ったのかと思いきや、実はそんなことはなかったりしたのでした。「どうしてもこの会社に入りたくてしょうがなかった」というより、むしろ、逆だったのです。

「たまたま、先輩がいた会社だった」
「友達に説明会に誘われ、自分が入社してしまった」
「来るつもりはなかったが、面接官と妙にウマが合った」

中には、びっくりするような返答もありました。

「第一志望の会社に落ちてしまったので、仕方なしに来た」

数千人、数万人、中には数十万人の従業員を持つ会社の経営者、あるいは企業を渡り歩いて社長になった人となれば、仕事キャリアに成功した人、と言っても過言ではないと思います。もっと言えば、仕事選び、会社選びに成功した人、とも言えるでしょう。
ところが、そんな人たちの「仕事選び、会社選び」が、なんともびっくりするものだったのです。言ってみれば、想定していなかった会社、想定していなかった仕事で成功していた、ということです。

この意味は、いったい何なのか。職業をテーマにする仕事が多かったこともあって、私はずっと考えることになりました。

世の中には山のように会社があります。大きな会社から小さな会社まで、とんでもない数の会社があり（中には公務員もあるし、準公務員のような仕事やNPO、NGOなどもあります）、とんでもない数の職業があるのです。

そのすべてを知るなどということは、まず不可能でしょう。さらに、その中から自分に合う仕事や会社を選ぶ、つまり仕事キャリアとしてうまくいったり、社会人として成功したりする会社や職業を選ぶというのは、途方もない難しさだということにも気づけます。
ならば、どうすればいいのか。改めて、そこに強い関心を持つようになっていったのです。

自分に合う仕事や会社を見つける意外な方法

私は1994年にフリーランスの書き手となり、雑誌やウェブサイト、書籍などでインタビュー記事や取材原稿を書くようになりました。また、すでに50冊以上の自著があり、じっくりインタビューをして著者に代わって本を書くブックライターとしても120冊以上の本を世に送り出しています。

書く仕事の原点にあるのは、リクルート社での人材広告制作のキャリアでした。1990年から始まり、1994年に退職するまで、大変な数の採用広告を作ることになりました。その頃から、人の「会社選び・仕事選び」に大きく関わっていたのです。

フリーランスになってからも、採用広告の制作のほか、リクルート社のメディアを中心に、仕事や働き方、生き方などをテーマにした記事を書く機会をたくさん得ることになりました。どうすれば、良い仕事キャリアが描けるか、どうすれば幸せな人生を送れるか、経営者をはじめ多くの著名な方々に話を聞きに行くことになりました。

なぜ、成功者たちはキャリアに成功したのか。なぜ人生がうまくいったのか。まさしく読者目線で聞きました。それは、私自身が20代のころ、まったくうまくいかない人生を送っていたからでした。

新卒の就活は思うようにいかず、失敗。転職した会社でも思うように結果を出せず、2度目の転職先は倒産。まさに、踏んだり蹴ったりの20代でした。ところが偶然にも28歳でフリーランスになって以降は、驚くほどのチャンスに恵まれることになります。

会社員時代とフリーランス時代では何が変わったか。それは一言で言えば、「やりたいことを捨てた」ことでした。自分のためでなく、誰かのために働く。このマインド・リセットが、私の人生をすっかり変えてしまったのです。


自分に合う仕事を見つけたい。活躍できる会社で働きたい。幸せな仕事人生を送りたい……。そんなふうに考えている人は少なくないと思います。だから、一生懸命に考える。大学でも就職支援はとても充実してきていると耳にしています。

自己分析をしたり、エントリーシートを書いたり、志望動機を考えたり、業界研究をしたり……。いろんな努力が行われていることもよく知っています。それによって、理想の仕事や理想の会社に出会えている人もいるのかもしれません。

ただ、そうでない人もいるのではないか、と感じています。そういう人には、実は別のところに「天職」と出会うヒントがあるのかもしれない。自分に合う仕事や会社を見つけることができる方法があるのかもしれない。私はそう思うようになっていきました。

実際、３０００人以上の成功者にインタビューする中で、多くの人が持っているイメージとはずいぶん違う考え方があることを私は知るのです。

実は、深い理由があって選んだわけではなかった。「こうしなければ」「こうでなければ」といった強い思いもなかった。あれやこれやと未来を計算していたわけでもなかった。肩の力を抜いて、むしろご縁や直感、感覚のようなものを大事にした。もっと言えば、ただの偶然だった。仕事や会社選びについても、キャリアづくりについても、です。

考えてみたら、誰にも未来はわかりません。働いてもいないのに、向いているか、向いていないか、なんてことがなぜわかるのでしょう。もしかしたら、もっと向いている仕事がどこかにあるかもしれない。自分を活かせる会社があるのかもしれない。そういう仕事や会社と、出会えるヒントはないのか。それは、どんなものなのか……。

私なりに感じていった「本当の仕事選び、会社選び」について、いつか書きたいと思っていました。自由に職が選べるようになり、転職も当たり前になった今だからこそ、なおさら。

なるほど、こんな考え方もあるのか、と知ってもらえたらと思います。

目次

第2章 好きなことより、得意なことをやりなさい

第3章

キャリアをあえて想定しない、という選択

第4章 爆発的に成功したプロたちのキャリア論

第5章 元広告制作者が教える採用広告の見方

第6章 入ってからが、すべての勝負

第1章

成功者たちの意外な仕事選び、会社選び

成功者たちはなぜ、その仕事・会社を選べたのか

経営者、起業家、科学者、俳優、スポーツ選手、映画監督、作家、漫画家、ミュージシャン、著名なクリエイター……。社会的な成功者と言われる方々に、これまでたくさん取材してきました。

彼ら彼女らは仕事で大きな結果を出してきたわけですが、それは同時に、自分の力を最も発揮できる仕事や会社を選ぶことができた人たち、と言い換えることができるかもしれません。あるいは、自分が楽しく、面白く、醍醐味があると感じる仕事ができている人たち。自分が幸せになれる職業に就けた人たち、と言ってもいい。

私自身が就活にも転職にもうまくいかなかった20代の経験を持っていたので、そうした人たちに取材ができるようになって、猛烈な興味があったのでした。それは「なぜ、彼らはその仕事・会社が選べたのか」です。

世の中には、数え切れないほどの職業があります。また、就職するにしても、とんでもない数の会社がある。業界もさまざまだし、規模もさまざま。そんな中から、彼らはいったいどうやって自分にぴったりの仕事や会社を選んだのか。

多くの人が、仕事選びや会社選びには頭を悩ませます。就活の時期になれば、自己分析を一生懸命やってみたり、業界研究をしてみたり、いろんな取り組みをする。転職するとなっても、本当に次の仕事や会社はこれでいいのかと頭を悩ませる。

これぞ、と思い描いた道に進むことができた人もいるでしょう。残念ながら、願いは叶わず、だった人もいるかもしれない。「こうでありたい」が、いつの間にか「こうでなければならない」となって、精神的に追い込まれてしまう人もいます。一方で、気乗りしないまま入社した会社が意外に心地良かったり、第一志望の会社に入ったのにイメージと違ったと悩んだりする人もいます。

もとより、仕事選び、会社選びとは、とんでもないチャレンジをしているということに気づいておく必要があります。そもそも、すべての仕事やすべての会社から選んでいるわけではないからです。

すべての仕事、すべての会社をチェックして、そのすべてが選択肢になっているわけで

はないのです。大学生や20代の若者となれば、知っている職業や会社、イメージできる職業や会社のほうがはるかに少ない。その中から選ばないといけないのです。

しかも、仕事や会社のことをよく理解してから選べるわけでもない。お試し期間もない。近年、インターンが盛んになっていますが、短期間に過ぎません。こんな状況の中で、人生で最高の選択をしたい、となるわけですから、これは大変でしょう。

仕事選び、会社に選びにあたってまず理解するべきは、かなり無茶なことをやっているということです。

誰にも共通する「正解」はない

最近では、大学の就職ガイダンスが充実してきていると耳にしています。かなり丁寧にいろいろサポートしてくれる。それはありがたいことだとは思いますが、20歳そこそこで将来を定めないといけないというのも、これまた無茶な話であるともいえます。

中には、「はっきりと将来のイメージを定めておかなければ、就活はうまくはいかない」というメッセージもあると聞いています。これが学生をかなり追い込んでしまう。そんなに簡単に決められるものではないからです。

実際にイメージが定められず、とりあえず手当たり次第に有名企業ばかりを狙って失敗してしまうケースもあるようです。

就活の難しさは、誰にも共通した、わかりやすい指標がないことです。大学受験では、偏差値というわかりやすい物差しがあった。また、学べる学部もはっきりしていますし、大学のカラーも見えている。そもそも数も多くない。選択肢を絞り込んでいきやすいのです。

しかし、就活はそうはいきません。会社の数も業界の数も多く、絞り込むのが極めて難しい。誰にも合うという会社はおそらくない。だから、自分なりに考えていかないといけない。それができないと、就職人気ランキングのようなものに振り回されることになりかねない。

人気ランキングを否定するつもりはありませんが、あれは学生が選んだものであることを認識する必要があるでしょう。社会に出て仕事をしたことがない、知っている会社も少ない、評価する基準も持っていない学生が選んだ会社のランキング。

それこそ、10年間、社会人として過ごし、仕事をした人が選んだ人気ランキングなら、そこには価値があるはずです。大学生よりは、はるかに多くの仕事や会社について見聞きしたでしょうし、自分が働く経験を持つからこそ見えてくる指標もあるからです。

ただ、そうは言っても10年です。私はかつてリクルート社が発行していた就職支援の情報誌の記事を書いていたことがありますが、よく編集部に提案していたのは、「もっと年輩者を出しましょう」でした。

入社10年で見えてくる仕事や会社の景色と、入社20年で見えてくる景色は、まったく違うものになっているのでは、と感じていたからです。入社30年なら、もっと違う景色が見える。

今は転職をする人も当たり前になっていますが、大学を卒業するタイミングからは、仕事人生は残り40年くらいある。その方向を20歳そこそこで決めなければいけないというのは、むしろかなりのリスクではないか、とすら思っていました。

その意味では、もっと年輩者に聞くべきだと考えていました。70代、80代の人生の大先輩に、就活について聞きに行く。若い人とは、まったく違う長期のスパンでアドバイスが飛んでくるのでは、と感じていたのです。

ただ、ここでも誰にも共通する「正解」がないのは同じ。だから、やってはいけないのは正解にこだわることです。

多くの成功者へのインタビューから感じたのは、もっと肩の力を抜いて考えていいのではないか、なのでした。

その入社は偶然だった、と語る成功者の多さ

取材した社長の中には、従業員が数千人、数万人、いや数十万人もの会社のトップもいました。新卒で入社して、30年ほどで、その頂点に立つ。あるいは、転職キャリアを積み上げてトップに立つ。それがいかにものすごいことか、多くの人が想像できると思います。

だからこそ、私はよく聞いていたのでした。しかも、インタビューと撮影の合間などに、こっそりと。

「どうして、この会社に入られたのですか？」

トップまで登り詰めたということは、おそらくこの会社が合っていたということなのでしょう。そうだとすれば、そこまで自分に合う会社を、いったいどうやって見分けたのか。それが知りたかったのです。

そしてそこに、意外な返答が少なくないことに次第に気づいていったのでした。

「ちょっとした偶然だった」
「たまたま友達に誘われて説明会に行った」
「サークルの先輩がたまたまいた」
「実はまったく関心のない業界だった」
「第一志望は実は他にあった」

自己分析をし、業界の分析や会社研究をし、将来のイメージを描き、どうしてもこの会社でなければならない、と意を決して入社した、という人はほとんどいませんでした。完全に肩の力が抜けていたのです。

例えば、日本生命を経て、ライフネット生命の立ち上げに加わり、その後は立命館アジア太平洋大学の学長を務められた**出口治明**（はるあき）さん。彼が京都大学を卒業して48歳まで勤めた日本生命に入社したきっかけは、まったくの偶然でした。

日本の正義のために頑張ろうと弁護士を目指していたものの、万が一のことだってある、どこか会社も受けておいたらと友人に誘われ、京都から京阪電車に乗って終点の淀屋橋駅の上にたまたまあった会社が、日本生命だった。

しかし、日本生命で保険の意義を知った出口さんにとって、そのキャリアのスタートが後の華々しいキャリアのベースになったことは間違いありません。ところが、その仕事選び、会社選びはまったくの偶然だった、というのです。

そういえば学生時代、当時、入社は宝くじに当たるようなものだと言われていた大手広告代理店やテレビ局を私は志望していたのですが、「あまり行く気はないけれど、とりあえず受けてみたら内定をもらえてしまった」という人がいたことを記憶しています。

これもまた、まったくの偶然、ということだったのかもしれません。行くつもりのないところに行くことになったわけですから。

出口さんは後にベンチャー企業を立ち上げ、そして大学の学長になります。しかし、そのファーストキャリアのつもりで生命保険会社を選んだわけではありません。ベンチャー企業も、大学学長も、出口さんにとっては偶然が生み出した、想定外の出来事だったのです。

きっかけは、運や縁やタイミングだった？

もちろん、どうしてもこの会社でなければならない、どうしてもこの業界でなければならない、と考えて入社した後の社長もいたのかもしれません。ただ、実際には私はほとんどお目にかかったことがありません（第一志望と出世には、実は意外な相関があるのですが、それについては後に語ります）。

中には、「今の学生さんは、本当にいろいろ自分や業界を研究して入ってこられるので、申し訳ない」と語っていた社長もいました。

では、なぜ彼らはそうした偶然やたまたまで決断したのか。それは、運や縁やタイミング、直感といった感覚的なもの、言ってみれば非科学的とも思えるものを信じた、ということではないかと私は思っているのです。

自己分析を必死でやり、そこから向いている仕事を導き出し、志望業界を決め、さらに会社を絞り込んでいく。こうした科学的と言ってもいいプロセスは、有効であるのかもしれません。

また、自分のやりたい領域を定めて、そこに近づいていくという方法もある。子どもの頃からのキーワードを大事にする人もいるでしょう。

しかし一方で、**まっさらな状態でたまたまの偶然やご縁、運のようなものを思い切って大事にしてみた、という選択の仕方もある**ということです。

そして、これは案外、有効な方法なのではないか、と私は思っています。なぜなら、懸命に考えたところで、少ない知識の範囲で、目指すべき方向に近づくのは簡単ではないと思えるからです。何より、世の中にある多くの仕事や会社を詳しく知っているわけではないのです。

もし、自分なりにロジックを導き出し、あらかじめ仕事や会社を絞り込んでしまったことによって、もしかしたら他に自分に合っていたかもしれない、自分の力を活かせた会社に、出会えないかもしれないのです。

また、これはかつての私自身もそうだったのですが、自己分析をし、自分に合いそうな仕事や業界を選んでいるように思えて、実は自分の勝手な思い込みや希望がかなり恣意的に入ってきてしまったりすることもある。

もっと言うと、本当に自分を分析することなどできるのか、とも思います。なんとかこじつけて、面接で語れる自分の特徴をひねり出しているようなところはないか。自分の進みたい方向に都合良く持っていってしまったりするところがあるのでは、と思ってしまうのです。

こうして「この業界でなければならない」「この仕事しかできない」と思い込んでしまったら、どうなるか。

可能性の芽を大きく摘んでしまうことになりかねないということです。

誰にもわからない未来について、頭をめぐらせても

実は経営者以外でも、スポーツ選手や作家など「どうしてもこの職業に就くと子どもの頃から決めていた」という人がいる一方で、そうでない人もたくさんいました。

その気はなかったのに、後にコンビを組む藤子・F・不二雄さんに誘われて漫画家になったというかつて会社員だった**藤子不二雄Ⓐ**さん。

一度、東京を見てみたいと長崎から上京、千代田区役所に勤務していたとき、偶然、同僚にチケットをもらった劇団俳優座の公演がきっかけで、俳優の道に進むことになった**役所広司**さん。

人間そっくりのアンドロイド研究で知られる大阪大学栄誉教授の**石黒浩**さんは、本当は画家になりたかったのだと語っていました。

弁護士ドットコムの創業者で国会議員も務めた**元榮**(もとえ)**太一郎**さんが弁護士になったきっか

けは、大学時代に交通事故に遭ったことでした。

タレントの**高田純次**さんはデザイン学校でグラフィックデザインを学んでいて、小さな劇団から芝居のポスターを頼まれたところから、舞台の仕事に出会いました。偶然や縁や運やタイミングがきっかけで、その職業に就いた人も少なくなかったのです。

3000人以上の方にインタビューをしてわかったことは、人生が思い通りに進んだ人など、まずいない、ということです。仮に「こうしたい」「こうしよう」と思ったとしても、その通りに人生が進んでいくことはまずない。ファーストキャリアでこうやって、次はこんなふうにして……などと人生が予定調和に進むことはほぼありません。

さらに、世に出るには才能が必要なのは事実かもしれませんが、**浅田次郎**さんのように遅くとも25歳で小説家デビューできると思っていたら、40歳になってしまったという人もいる。

紆余曲折あって、思いも寄らない方向に進んでいくことだってあります。それは当然で、自分自身がさまざまな体験によって変わっていくのはもちろんのこと、世の中は常に変化していくからです。とりわけ環境の大きな変化は、自分ではどうしようもない。

バブル絶頂期に就活をした私の時代、最も人気があったのは、金融業界の都市銀行や証券会社でした。金融業界は安定した業界の筆頭とも言える存在で、安定を求めて銀行に就職した人も多かった。

ところが、その後、どうなったか。今の若い人は知らないかもしれませんが、バブル崩壊後の金融不況で、なんと倒産する大手銀行まで出てきてしまったのです。証券会社も同様でした。当時、13行もあった都市銀行は、今やメガバンク3行に集約されています。

安定した銀行で、キャリアを築こうとしていた人は、まったく目算が外れてしまったのです。これも忘れられない印象的な取材でしたが、解剖学者の**養老孟司**さんはこんなことを語っていました。

「学生って、そのときの景気の良い企業に入りたがるでしょう。でも、必ず僕くらいの年齢になると、ヒイヒイ言うことになる。結局ね、ダメなんですよ、人に生かしてもらったら。自分で生きなきゃダメなんです」

人生は計算通りには行くものではありません。誰にもコントロールはできないのです。 自分で生きていくしかないのです。

逆に携帯電話業界やインターネット業界など、私の学生時代にはなかった産業が後に大きくなっていきました。当時、ユニクロやソフトバンクは、ほとんど誰も知らないブランドや会社でしたし、楽天はまだなかった。未来は簡単に読めるものではないのです。だったら、偶然や縁や運やタイミングや直感に委ねてしまう、というのも大いにありだと思うわけです。実際のところは、偶然とはいえ、何かピーンと来たから選んでいる。直感的に「これは自分には合わないな」と思ったら選ぶはずがない。

面接官だったり、会社のエントランスの雰囲気だったり、オフィスの空気だったり、社内を歩いている人だったり。そういった印象が直感として総合的に判断されて、「なんか、ここいいかも」と決断につながることになった。当てずっぽうな計算なんかよりも、直感こそを信じたのだと思うのです。

偶然に身を任せたことで、自然な形で自分を出せた、リラックスして気負わず素の姿を見せられた、とも言えるかもしれません。それが面接官に好印象を与え、「ああ、これならウチの会社に合う」と判断してもらえた。相手に素の自分を評価してもらえたのです。

もしかすると志望動機も語れなかったかもしれない。でも、志望動機がうまく語れても入社できない人がいるように、逆もしかり、であることは多くの方がご存じだと思います。それこそ、もしかするとお互いの相性がすべてだった、のかもしれません。

じっとしていても、偶然はやってこない

では、偶然をどうつかまえるのか。まずは、**思い入れを外してみること**です。「こうでありたい」「こうであるべき」「こうでないといけない」も外してみる。その上で、自分に引っ掛かるものに、しっかりアンテナを立てる。

親しい友人が、何かシグナルを発しているかもしれません。ゼミの同期が、思わぬ情報を聞かせてくれるかもしれない。親に話を聞いてみるのも、一つの方法です。しばらく連絡を取っていない懐かしい知人と久しぶりに話をしてみるのもいいかもしれない。電車の広告に何かヒントがあるかもしれない。書店で目に触れた本が人生を変えるかもしれない。通りすがりの人に、何かを教えられるかもしれない。

これは取材で聞いた話です。実は人間の目は膨大な量の情報をインプットしているのですが、しっかり意識ができているのは、ほんの一部なのだそうです。脳がパンクしてしま

うからです。

だから、普通に眺めているだけでは、実は目に入っているものは残らない。しっかり意識して見ないといけないのです。実際に意識して、しっかり見るようになると、思わぬ情報が入ってきたりする。それは仕事や会社、業界のヒントになるかもしれません。

もっと言えば、そもそも小さ過ぎる世界で生きていることを自覚する必要があります。仕事や会社を探しているのであれば、とにかく外に出て行く。多くの人に会う。いろんな職業を見る。経験値を広げることです。

家にじっとしてスマホをいじっているだけでは、偶然は起きにくいことは想像いただけると思います。ヘッドフォンをして、外の世界を遮断してしまうことも同様。アクティブに外に出てみる。オープンに耳を澄ます。偶然や縁や運やタイミングがやってくるところに、身を放り出すことです。

飲み屋で隣り合わせになったテーブルの人と知り合いになり、その人の会社に入ってしまったという話を聞いたことがあります。いきなり意気投合して、あっと言う間に採用が進んでしまった。入社後も、良いリレーションが作れたそうです。これも、飲み屋に行ったから出会いがあったわけです。

旅行に出るのもいいでしょう。そこで思わぬ出会いがあるかもしれない。新しい発見、刺激も何かのヒントになるはずです。

アルバイトも、しっかり頑張る。単にお金を稼ぐというだけでなく、仕事の広がりに目を向けてみる。自分の仕事から、社会とのつながりを想像してみる。そして、人間関係をしっかり作っておく。

私の場合も、学生時代のアルバイト先で一緒だった人から、25年後に講演のお声がけをもらったことがあります。まさかと思いましたが、こんなことが起こるのが人生なのです。

一番やってはいけないのは、同じような友達とつるみ、同じようなコンテンツばかり見て、同じような毎日を過ごしてしまうことです。それでは、新しい偶然など起こりようもない。視野も広がらず、知らない仕事や会社に出会うチャンスもない。

偶然が起こる機会を増やしていくことです。それを意識していくことです。そこから、ヒントを手に入れる。

ヒントから、なんとなく選択肢に入った時点で、それはすでに意味があります。偶然の縁や運やタイミングがやってきたということ。それだけで、十分に仕事や会社選びの動機になります。大事なことは、アクションを起こしてみることです。

五感で会社を感じてみる

世の中には転職のチャンスを見事につかむ人がいます。先にも触れたように、成長著しい携帯電話業界やインターネット業界に、黎明期に飛び込んだ人たちもそうでしょう。まだ未来は海の物とも山の物ともわからない。でも、積極果敢に飛び込んで、成長だったり、ポジションだったり、報酬だったりという果実を得た。偶然を直感的に捉えて、仕事人生の転機を作っていったのです。

外資系企業という選択肢を、早くから選んだ人たちもいます。今では超人気になっているマッキンゼーやボストン コンサルティング グループに、30年も前に入社していた人たちがいるのです。

今では外資系企業は各界で活躍していますが、当時はまだ従業員は数人、数十人という時代。なぜ、彼らはそんな選択ができたのか。今のような未来が待っているなど、何の保証もなかったのに、です。

知人に誘われて、後に上場するようなベンチャーに入っていく人もいる。逆に誘われて入社したけれど、会社が倒産の憂き目に遭う人もいる。私自身が後者でしたから、前者の人たちにはとても興味がありました。だからベンチャー企業の社員に取材に行くと、なぜ決断できたのか、よく聞いていました。

将来を計算することなどできません。優秀な人たちとて、「絶対に成長するはずだ」と確信して選んだわけではないでしょう。では、なぜ選べたのか。それこそ、直感だったと思うのです。

こっちに行ったほうがいい。いいような気がする。自分に合っているかもしれない……。そういう空気を敏感に感じ取って、決断した。となれば、大事なのは、そうした直感力であり、感じ取る力なのです。

かつて、フランス人の音楽家、**フランソワ・デュボワ**さんの書籍制作をお手伝いしたことがあります。彼は音楽家である一方、当時、大学で学生向けにキャリアのアドバイスもしていました。

私が強い興味を持ったのは、彼が「五感を使え」というアドバイスをしていたことです。

インターネットで会社や業界の情報を集めることも大事。しかし、そこから見えてくることは極めて限られる。そんなことより、**会社に行ってみなさい、先輩に会ってみなさい、**と。

例えば、会社はどこにあるか。それだけでも会社の雰囲気をつかむことができます。大企業ひしめくオフィス街なのか。飲食店も多い繁華街のような街なのか。都市部からは少し離れた静かなところにあるのか。そして、自分はどこに会社があれば心が落ち着くのか。

エントランスにも、会社の個性は表れます。広いスペースがあって、ひっきりなしに来客があるような会社なのか。それとも小さなスペースに受付電話だけがある会社なのか。どちらが自分に馴染みそうか。

先輩社員に会ってみたら、もっといろいろ見えてきます。人に会った瞬間にいろいろ感じることが誰にでもあるはずです。この人はウマが合いそうか。友達になれそうなタイプか。ちょっと違うのか。

こういうことを、視覚、聴覚、嗅覚、触覚、時には味覚の五感で判断しろ、とアドバイスしていたのです。

人間としての本能が大きく衰えてしまっている

五感は、人間が本来持っている感覚です。実際、人は五感でいろいろなものを判断している。直感的に判断をすることができる力を持っているのです。だから、そのひらめきに素直に従ってみよ、というのが彼のアドバイスでした。なぜなら、実は直感は案外、ウソをつかないから。

そのためにもやらなければいけないことがあるとも語っていました。ちゃんと五感のスイッチを入れる、ということです。というのも、現代人の五感はすっかり衰えてしまっているからです。直感力が鈍ってしまっているのです。

もとより人類が誕生して6万年。人間はその歴史の大部分をジャングルで暮らしていました。今のような近代的な暮らしは、長い歴史で見てみれば、ほんのわずか。まさに人間の歴史のほとんどはジャングル暮らしだったのです。

ジャングルで暮らすとは、どういうことか。周囲には、命に危険を及ぼすものがたくさんあるということです。人を襲ってくる獰猛（どうもう）な動物しかり、刺されると命に関わりかねない昆虫しかり、肌を激しく傷つける植物しかり、間違えて食べると危険な食べ物しかり。人間はわが身を守るために、常に緊張していなければいけませんでした。五感をフルに駆使して、日々を送っていたのです。もし、この五感に衰えがきたら、命を落としかねなかった。だから、五感を常に磨いていた。

ところが人間はやがてジャングルを離れ、安全に暮らせるようになりました。命の危険にさらされることが減っていき、五感が衰えていったのです。本来ある能力を、使わなくなってしまったからです。

とりわけ日本人の五感の衰えぶりは、嘆きたくなるほどだとデュボワさんは言っていました。アフリカの旅から戻って成田空港に降り立ち、都心に向かって走る電車に乗っていると、その緊張感のなさには本当に驚かされた、と。

そして直感力とは、危機を察知するだけの能力ではありません。誰が自分に友好的か、どの場所なら自分は狩りがうまくできるか、自分は何に心地良くなるか。そうしたポジティブな面も察知できる能力なのです。

自覚するべきは、人間としての本能である五感が大きく衰えてしまっていることです。だから、直感力が働かない。生物としてのセンサーを、もっと敏感にしておく必要があるのです。

デュボワさんに衰えている五感を敏感にしていく方法も教わりました。それは、自然と触れ合うことです。森や海に行くのもいいし、それこそ緑のある公園に行くだけでもいい。もっと言えば、家で観葉植物を育てるだけでも違う、と。自然をちゃんと感じることです。遠い昔、ジャングルで暮らした記憶が、もしかすると呼び起こされるのかもしれません。

いろいろな場で五感を使ってみる。直感的に「これはいいぞ」「やめておいたほうがいい」という判断をする練習を重ねる。

友達選びでは、誰でもまさにこれをやっているのではないでしょうか。これをもっともっと、いろいろな場面で研ぎ澄ませていくのです。

面接では、素の自分をさらけだしたほうがいい

思い込みを排除し、五感を使って偶然に身を委ねることは、採用の面接でもプラスに働くと私は感じています。教科書的な志望動機は語れないかもしれない。しかし、**素直にここに来た理由を伝えればいい**と思うのです。

なんとなく、××が気になった。たまたま書店で出会った本が、この会社の業界に関する本だった。友人が受けることを熱心に勧めてくれた……。偶然とはいえ、何か理由があってここに来ているわけですから、それを正直に言えばいい。

教科書的、優等生的な志望動機を、面接官はどれだけ求めているのか、と私などは感じてしまいます。学生は、ほとんど世の中を知らないことを面接官は知っています。むしろ、大層で立派な志望動機を語られるほうが、よほど違和感を持つのでは、とすら思ってしまいます。

「やりたい仕事を言わなければならない」と考えている人も多いようですが、実際のところ、本当の仕事が完全にわかるはずもない。わかったようなことを言うほうが、むしろネガティブな気がします。

こんな仕事にちょっと興味があるけれど、会社が委ねてくれる仕事に全力でトライしてみたい。そんな返答でいいのではないでしょうか。会社とて、「やりたい仕事」が完全に決まっている社員ばかりでは困るはずです。

実際、先にも触れているように、行くつもりもなかったところに内定をもらってしまった、という人がいます。彼らが教科書的な志望動機を語れたとは思えません。おそらく、素直にそこに行くことになる理由を語ったのだと思います。

私は現在は50代ですが、大企業に勤めるかつての友人たちが、30代、40代で面接官を務めていた頃、よく話を聞いていました。いったい、どうやって採用面接で人を選んでいるのか、と。それは、私の想像とよく似ていました。

もちろん、書いてくれたエントリーシートなどには事前に目を通す。面接でも、人事部から渡された想定質問をいくつか投げかけていく。学生の話を、頑張って聞こうとする。緊張している学生には、和らげるような空気を作る。

しかし、実は合否のほとんどは、ドアを開けて部屋に入って来て、椅子に座って少し会話が始まった頃にはほとんど決まっているのだと語っていました。**第一印象と少し話した雰囲気がほとんどのジャッジの決め手なのです。**

というのも、とりわけ現場で働く面接官が考えているのは、「一緒に働きたいか」「自分の部下にしたいか」だからです。一緒に仕事をして、心地良く働けるかどうか。それこそを、見ているのです。そこで、小難しい話をされても困るのです。

極端な話をすれば、相性です。自分と、あるいは自分の会社と相性が合うかどうかを確かめているのです。しかも、短時間で直感的に（つまり、誰が面接官か、で運命が決まってしまうところがあるのは間違いありません）。

むしろやってはいけないのは、等身大の自分を見せないことです。それでは、相性が測れない。ましてや背伸びをしてしまっては、ミスマッチも起こりかねない。もっとも、背伸びはすぐにわかるようではありますが（むしろネガティブな評価になるようです）。

つまりは、**素の自分をさらけだしたほうがいい**、ということです。そのほうが、本当の姿を見てもらえるし、面接官にも受け入れられやすい。自然体のほうが、好印象にもつながる可能性は高いと思うのです。

そして、こちらも五感をフルに駆使して、相性を探る。自分に合うかどうかをチェックする。**何より大事なことは、自分に合うか、合わないか、なのです。**たとえ入りたいと思っていたとしても、合わない会社に入ってしまっては悲劇が起こりかねない。

その意味では、判断は選んでくれるプロに委ねてしまう、というのも、一つの考え方かもしれません。日々、大勢の社員と接し、これまでも面接を重ねてきた面接官が、「お、こいつはウチに合うぞ」と思ってくれたのです。

偶然で会社を選んだ後の社長たちは、こんなふうに面接官に見初められ、入社を決めたのでしょう。もちろん、社長の側も会社に好印象を持った。五感をフルに駆使して、直感的にそれを捉えたのです。先の出口さんもそうだったのだと思います。

オンラインでの就活で気をつけなければいけないこと

その意味では、コロナ禍以降は、ちょっと困った事態が起こっていると感じています。

オンラインでの就活が当たり前のようになってしまっているからです。

　オンラインでは、残念なことに五感のうち視覚と聴覚しか使えません。相手の雰囲気を感じることができなくなってしまっているのです。これは、面接をする側にとっても、面接を受ける側にとっても厳しい事態だと思います。

　どこからでもオンラインには入れますし、パソコンの周辺で何が行われているのかは、面接官はわからない。中には、パソコンの横に貼り付けた志望動機の文章を読み上げている学生もいると取材で耳にしました。

　また、肩から上の上半身しか見えないので、全体の印象がわからない。肝心な第一印象が直感的に捉えられないというのです。

　オンライン就活は、地方在住など距離のハンデのある人たちにとっては強力な武器になっています。大事にしたいところでもある一方、相性を判断する五感の力をフルに活かせないところがあることは、認識しておくべきでしょう。

　願わくば、できるだけリアルでの機会を持ったほうがいい。また、リアルで自分で判断する機会を作ったほうがいい。感じられる情報量が、まるで違うことに気づくことができると思います。

ちなみに、面接が上手な人、下手な人についても取材で話を聞いたことがあります。もともとのコミュニケーション能力もあるのですが、実は大きいのは「慣れ」なのです。30代、40代、50代の大人とのコミュニケーションにどのくらい慣れているか、です。

慣れていないから、うまくしゃべれない。緊張してしまう。どうしていいかわからなくなる。普通に学生生活を送っていたら、親以外の30代以上の人とコミュニケーションを交わせる機会はほとんどないでしょう。

だから意図的に作るのです。親に紹介してもらうのもいいでしょう。アルバイト先で意欲的に大人と交わるのもいい。ボランティアや大人の集まるコミュニティに加わってみるのもいい。**大人とのコミュニケーションに慣れていれば、面接はまるで違うものになります。**

もっと言えば、自然に自分の素を出せるようになる、とも言えます。大人といっても、特別な人たちではないのですから。もっと肩の力を抜いて、面接に当たればいいのです。きっと偶然で入社した人たちも、そうしていたのだと思います。

第1章のまとめ

- その入社は偶然だった、と語る成功者は多い
- 偶然やご縁、運のようなものを大事にしてみる、という選択肢もある
- 家にじっとしてスマホをいじっているだけでは、偶然は起きない
- アンテナを広げ、多くの機会を持つ。五感をフルに働かせて、直感で判断する
- 面接では、素の自分をさらけだしたほうがいい

第2章

好きなことより、得意なことをやりなさい

好きなことが、もし苦手だったとしたら

仕事選び、会社選びでよく言われるものに「好きなことをやりなさい」があります。職業選択のヒントとして、これは一理あるかもしれません。

実際、ゲームが大好きだから、ゲーム会社に入った、という人がいます。子どもの頃から大好きなお菓子があって、そのメーカーに就職したという人もいる。企業の変革ストーリーが大好きで、舞台となった会社を選んだ、というケースもあります。

好きなことなら頑張れる、というのは事実でしょう。ゲームが好きな人がゲーム制作の仕事に携われたら、これは楽しいと思います。それまで自分が楽しんできたものを、今度は人に楽しんでもらえる。そんな仕事なら時間を忘れて夢中になれると思います。

さまざまな職業の成功者の中にも、「好きなことをやりなさい」と語っていた人はたくさんいました。何時間やっても苦にならない、というのもヒントだと語っていたのは作家の

角田光代さん。貧乏だったけれど、好きなことしかしていなかったという漫画家の**水木しげる**さん。とにかく野球が好きだったと語っていたのは、元サムライジャパン監督、WBCで世界一になった**栗山英樹**さん。

好きなことを選んだし、好きなことだから一生懸命になれた。努力ができたからこそ、結果も出せた。

たくさんの人に取材をしてきて、「最もすごいと思った人は誰ですか？」と逆に質問を受けることがありましたが、私がよく答えていたのが、「監督という職業」でした。とりわけ映画監督。

スポーツなら選手、映画なら俳優、現場監督なら職人……。いわゆる猛者たちを取りまとめ、一つの結果を出していくのが、監督という仕事です。すごいなぁ、と思うことが多々ありましたが、中でも映画は投下される資金も大きく、関わる人も多い。おまけに、天候という偶然にも付き合っていかないといけない。

深作欣二（きんじ）さん、**森田芳光**さん、**堤幸彦**さん、**矢口史靖**（しのぶ）さんなど、たくさんの監督に取材しましたが、まさしくスーパーマンだと思いました。腰も低く、しゃべりもうまく、おまけにオーラもある。しかも、お金のことも考えないといけないのです。

もちろん皆さん、映画が大好きで、若い頃から映画漬けの日々を送られていました。そして映画の世界に入った。まさに「好きなこと」を仕事にできたわけです。そして、「好きなこと」に没頭する日々を送った。

ただ、彼らが監督として成功したのは、映画が「好きだったから」ではありません。それも一つの要素かもしれませんが、それ以上に彼らには映画監督としての才能があったということです。

注意しなければいけないのは、**好きだからといってうまくいくわけではない**、ということです。ゲームをやるのは大好きだけれど、実は制作者には向いていないかもしれない。やるのは楽しかったけれど、販売する仕事は地獄の苦しみになるかもしれない。

たしかに「好きなこと」は一つのヒントにはなりますが、そこに引っ張られすぎると選択を間違えることになりかねません。

それがわかっているので、「好きなものは、趣味で楽しむ」と断言していた人もいました。

私は、それはかなり正しい、と思っています。

得意なことなら、褒めてもらえる

　では、「好きなこと」でなければ、何をヒントにするべきか。それは「得意なこと」です。好きかどうかはさておくとして、「得意なこと」と「得意でないこと」で、どちらが仕事で成功できるか、答えは明白でしょう。

　間違いなく**「得意なこと」のほうが力を発揮しやすいし、結果的にうまくいきやすい。**「得意なこと」をやって褒めてもらえたら、モチベーションも高まります。そうすると、もっと得意になっていく。

　これを取材で語っていたのが、クリエイティブディレクターの**水野学**さんでした。「くまモン」で知られていますが、中川政七商店や茅乃舎、相鉄グループなど、たくさんのクライアントを抱える超売れっ子のクリエイターです。

　水野さんの会社にはたくさんの若いデザイナーたちがいますが、彼らに仕事をお願いする基準を聞いたとき、水野さんはこう言われたのでした。

「それぞれが得意なことをお願いする」

デザイナーと一口に言っても、さまざまな仕事があります。企画を考える、デザインを組む、進行を管理する……。また、クライアントによって、デザインの傾向がまったく変わります。それぞれのテイストがあるのです。

水野さんは、そうしたさまざまな仕事について、得意な人にお願いする、と語っていたのです。なぜなら、そのほうが本人も力を発揮できるから。褒めてあげられるから。モチベーションが上がって、やる気も高まるから。

「好きなことをやりなさい」とはよく言われることですが、「得意なことをやりなさい」「得意なことで仕事を選びなさい」というのは、案外、言われないことのような気がします。

そして日本人はつい、得意なことよりも苦手なことに目が向いてしまう。苦手なことを克服することを考えてしまう。オールマイティでゼネラリスト的な働き方が好きだから、ということもあるのかもしれません。しかし、これでは得意が伸ばせない。

苦手なことを克服することよりも、得意なことを伸ばすことに頭を向けたほうがいいのではないでしょうか。なぜなら、そのほうが成功する確率は上がると思えるからです。得意なことを武器にできるから。

ただし、難しいのは、「得意なこと」も活かし方を間違えるとうまくいかない、ということです。というのも、デザインの仕事が多岐にわたっていることもそうですが、表面的に見えているのは、仕事のほんの一部分だったりするからです。

もっと言えば仕事の本質は、その得意とはまるで違うところにあったりすることも少なくないのです。

そうした仕事の本質こそを、しっかりと見ないといけないのです。

文章を書く仕事の本質は、文章力にはなかった

例えば、私の行っている仕事は文章を書くことです。取材をして雑誌に記事を書いたり、書籍を作ったりする。この仕事に向いているのは、文章を書くことが好きだったり、得意な人だと、多くの人は想像しています。

しかし、実際にこの仕事をしている私の見解はまるで違います。書くことが好きな人や、得意な人は、むしろ注意しなければいけないとまで思っています。

文章を書くことは、この仕事のプロセスのほんの一部でしかないからです。しかも、その重要度はさほど高くない。それこそ、文章が得意な人とそうでない人の差は、ほとんどないと私は思っています。

雑誌のインタビュー記事を作るとしましょう。まず問われるのは、文章力の前にインタビューする力です。なぜなら、聞いていないことは書けないからです。記事にする価値のある内容をきっちりヒアリングしてこなければいけない。

観察力も重要です。原稿は聞いたことだけで構成されるわけではありません。どんな光景が広がっているか、どんなものが置かれているか、どんな様子なのか。こうした観察が、文章をイキイキとしたもの、臨場感のあるものにします。

さらに、文章の量には限りがあります。持っている情報やヒアリングしてきた情報の中から、必要な情報をチョイスし、構成しなければなりません。どの情報を選び、どんな順番で伝えていくのが適切か、それをすばやく考えないといけない。

ここで問われるのは、雑誌の読者が求めているニーズをいかに想像できるか、です。「読者にとって何が面白いか」を嗅ぎ取る力です。そうでなければ、ピント外れの原稿になってしまいます。小説を書く作家に必要なのは創造力ですが、私のような商業ライターに求められるのは、読者の姿や読者のニーズを想像する想像力なのです。

ここまできて、ようやく原稿づくり、文章書きが始まります。ここでも求められているのは、読者にとっての面白い記事を書くことです。それは、仕事を発注する編集者が求める記事でもあります。自分が好きな文章、書きたい文章を書くことではありません。

書くことが好きで、書くことが得意。しかし、人に会って話を聞くのが好きではない人には、この仕事は苦しいものになると思います。また、読者にとって何が面白いのか、そのセグメントがうまくいかなければ、記事は支持されません。

この仕事で何より求められるのは、書く力以上に、いろんなことを面白がる力だと私は考えています。しかも、それを人に伝えたいと思えるかどうか。こんなことを知ったんだけれど、これを多くの人に知ってほしい、ということがモチベーションにできるかどうか。それを喜びにできるか。書くことそのものの楽しさではないのです。

仮に文章が好きで、得意であったとしても、こうした思いがなければ、仕事はまったく楽しくないはずです。好きに書いていたいなら、小説家になればいい。もしくは、エッセイストになればいい。もっとも、そのハードルは極めて高いのではありますが……。なので趣味でブログを書く、という方法もあります。

私は宣伝会議の「編集・ライター養成講座」で長く講義を持っていますが、よくこの話をしています。書くことが好きだから、書くことが得意だから、というだけで、この世界に入ってくるのは危険だ、と。しかし、勘違いをしている人は少なくありません。

できる営業は売り込むのではなく、聞いている

私は文章に関する本を何冊も書いていますが、実は私自身は書くことが好きでも得意でもありません。むしろ、子どもの頃から作文は苦手で嫌いでした。最も嫌だったのは、読書感想文。というのは、読むのも嫌いだったからです。

そんな私が書くことを仕事にして、50冊以上の著書を出し、ブックライターとして120冊以上の書籍を著者に代わって書いたりしている。昔の私が見たら仰天すると思います。

大学時代の友人もみな、驚いています。

そのきっかけは、ちょっと歪んだ広告代理店への興味でした。人口4万人の田舎から東京の大学に出てきた私は、世の中をまるでわかっていませんでした。大学1年のとき、ひょんなことから4年生の先輩と就職の話になり、大手広告代理店の存在を知ったのでした。入社するのがものすごく難しい、という言葉が心の中に残り、鼻っ柱だけは強かった私は、「ならば、そこに行こうではないか」と決めてしまったのでした。折しも時代は、広告の黄金期。広告制作の仕事は、華やかな仕事の代名詞でした。

しかし、新卒の就活はあっと言う間に玉砕。それでも、あきらめきれずに転職して広告制作の仕事に就くことになります。このとき私は、コピーライターは言葉を見つける仕事で、文章を書く仕事とは思っていませんでした。ところが私が入ったのは、採用広告の制作現場でした。これぞ、まさに偶然だったのだと思います。

かっこいいキャッチフレーズ一発で広告が成立するような世界ではありません。こうして、だんだんと長い文章を書かざるを得なくなっていったのです。

そして書くことが苦手だったからこそ、この仕事の本質を見つけることになったのだと思っています。書けなかったからこそ、広告制作でもインタビューを頑張った。良い情報が手に入れば、粗削りでも面白い内容になるからです。

また、読むのも苦手で嫌いだったからこそ、きっと読者もそうなのだと思いました。心掛けたのは、とにかくわかりやすい文章でした。読みやすく、読み進めやすく、読み始めたら最後まで思わず読んでしまう一気通貫の文章を書く。書くのも読むのも好きで得意だったら、そんなことはまず考えなかったと思います（そもそも小学校や中学校で書くような優等生的な文章は仕事ではまったく求められません）。

文章を書くことが嫌いで苦手だったからこそ、「文章が書けるようになる本」が書けた。最初からスラスラ文章が書ける人は、伝えたいことを言語化するのは簡単なことではありません。最初は書けなかったからこそ、どうすれば書けるかがわかったのです。

仕事の本質が理解されていない。これは、あらゆる職業に潜んでいます。例えば、話すのが得意な人が営業なのか。私の見解はまるで違います。どんなに話すことがうまく、プレゼンテーションがうまくても、顧客は必要のないものは買いません。顧客は必要だから買うのです。

では、**本当にできる営業は何をしているのかというと、徹底的に顧客のニーズをヒアリングしているのです。話すのではなく、聞くのが得意な人こそ向いているのです。**そうやってニーズを聞き、それに合った商品を提案する。必要な商品であれば、受注確率は一気に上がります。

実際、私の知っているトップ営業パーソンは、その多くがむしろおとなしく見える人たちです。とにかく聞く。その姿勢はまた、相手からの信頼を得ます。そして、何が起きているのかを理解し、課題を解決するべく動くのです。

どんな世界でも、成功している人は、こういう仕事の本質が自分に合っているのだと思います。自覚しているかどうかは別にして。だから結果が出せるのです。

人生は「やりたいこと探し」と語った田原総一朗さん

仕事の本質は、多くは「見た目」からは違ったところにあります。実は多くの人が思っているイメージと、職業の実態はまるで違ったりするのです。しかも、ビジネスが大きくなればなるほど、仕事はどんどん細分化していくことになります。

それこそゲーム制作、と一口に言っても、実際の仕事はかなり多岐にわたります。企画する仕事もあれば、プログラムの仕事もある。キャラクターデザインの仕事もあれば、セールスサポートの仕事もある。それぞれ、まるで違うスキルが求められるのです。

表面的な仕事、自分が勝手にイメージする仕事に惑わされてはいけないということです。ましてやそれによって、自分の選択肢を狭めてしまったら、まさに本末転倒です。

その意味で、かなり危ないフレーズが「やりたい仕事」だと思うのです。「やりたいことを見つけなさい」とは就活でよく言われることですが、そもそも**本当の仕事がどんなものなのか、仕事の本質がどんなものなのかを理解できていないのに、見つけられるはずがないのです。**

もとより、何度も書いているように世の中には途方もない数の仕事があります。そのすべてを見たわけではないし、経験したわけでもない。それにもかかわらず、「やりたいことを見つけなさい」とは、なんという横暴な意見か、と思います。

たしかに、ヒントの一つにはなる、とは言えるかもしれません。例えば、資生堂の会長の**魚谷雅彦**さんが最初に勤めたライオンを選んだきっかけは、留学ができること、でした。もともと英語が好きで、グローバルに活躍できる総合商社を考えていた。ところが当時は学部制限があって、文学部で英語を学んでいた魚谷さんは採用試験を受けられなかった。それで海外に関われる会社を探していたとき、採用パンフレットの表紙に外国の風景が描かれている会社があった。それが、留学制度を設けていたライオンだったのです。

子どもの頃からの夢や憧れがキーワードになるケースもあるでしょう。周囲に同じ仕事をしている人がいて、身近に感じていたというケースもある。こういう方向に、という思いを持っている人もいます（これらもよくよく考えると偶然ではありますが）。

ただ、魚谷さんは実際に留学に行くのですが、実は英語という切り口でキャリアを切り開いていったわけではありませんでした。ライオンと留学でマーケティングに出会い、マーケティングで実力をどんどん発揮していったのです。

きっかけは英語でしたが、魚谷さんが後に見つけた本当に「やりたいこと」であり、「得意なこと」はマーケティングでした。魚谷さんは文学部出身で、マーケティングを学んだわけではない。これは、仕事をスタートさせて、ようやくわかったことだったのです。

最初から「やりたいこと」にこだわってしまう危うさに、お気づきいただけると思います。もちろん、ズバッと決められる人もいて、それが天職になる人もいるかもしれない。しかし、多くの人はそうではないと思います。

だから、私は思っています。「やりたいこと」なんて、無理に定めることはない、と。ちょっと興味あるな、くらいで留めておくこと。それが、将来の可能性を広げてくれることになるのです。

そういえば、ジャーナリストの**田原総一朗**さんがこんなことを言われていました。人生はやりたいこと探し。やりたいことは、一生かけて探し出すものだ、と。なるほど、年輩者の意見はやっぱり鋭い、と思います。

「嫌い」と「苦手」の微妙な関係

一方で、大事にしたほうがいいこともあると思っています。それは**「嫌いなこと」ははっきりさせたほうがいい**、ということです。「やりたいこと」を見つけるのは、簡単なことではありません。しかし、「嫌いなこと」はわかりやすいのではないでしょうか。

例えば、細かな数字を積み上げていくような仕事は好きではない、という人はいるでしょう。実は、私自身がそうです。フリーランスで30年、仕事をしていますが、最も嫌いなのは経営の仕事です。会社の帳簿に向き合うのは、とにかく苦手なのです。

こんな私が、もし間違って公認会計士を目指すようなことになったら、大変なことになっていたと思います。実際、私は大学で商学部におり、周囲には公認会計士資格を目指している人たちがいました。

司法試験に次ぐ難関資格だから、これは受けてみるべきでは、などと頑張ったりしたら、後に困ったことになったかもしれない（実際は、まったくそんなことは思わなかったのではありますが）。

誰かとコミュニケーションを取ることが好きではない、という人もいます。そういう人が、ホテル業や小売業などの接客業に従事して、サービスの力で顧客に喜んでもらうというのは、かなりしんどいでしょう。

ある程度、定められた仕事を黙々とやることが好きな人もいれば、そういう仕事は絶対に無理という人もいます。同じことを繰り返すことに、精神的に堪えられない人もいるのです。しかし、逆もあります。

また、すぐに成果が欲しい、という人もいる。しかし、世の中には何十年もかけて、一つのプロジェクトを完成させるような仕事もあります。時間的な感覚が合わなければ、これまたストレスになってしまう。

自分の五感で「これは無理そうだ」というものは、ある程度は見えると思うのです。見えるもの、聞こえるもの、匂いなどもそう。生理的、直感的な感覚で、しっかり見据えておいたほうがいい。そうでなければ、毎日、辛い思いをすることになりかねないからです。ただし、嫌いと苦手は微妙に違う、ということは知っておいたほうがいいと思います。できないから嫌いになっている。苦手だから嫌いになっている。嫌いだから苦手になっている、というケースもあるからです。それを語っていたのは、後に詳しく書きますが、元ソニーCEOの**出井伸之**さんでした。

書くのが嫌いで苦手だった私は今、書く仕事で食べています。それは、書く仕事の本質が、書くことになかったことが大きい。

これは次章でも触れますが、表面的なところだけを見て、勝手に嫌いや苦手を判断するリスクもあるということには注意が必要です。**本当の嫌いや苦手は、案外、自分ではわからなかったりもする**のです。

「得意なこと」は、自分では気づけない

案外、自分ではわからなかったりするものに、もう一つ「得意なこと」があります。自分の得意なことは、自分でわかるだろうと思っている人がほとんどですが、実はそんなことはない。自分のことは、意外に自分ではわからないのです。

だから、営業が苦手だと思っていた人が、いきなり営業で大きな実績を出したり、クリエイティブな世界は自分にはあり得ないと思っていた人が、企画のセクションでヒットを飛ばしたりする。そういうことはよくあります。

電通から独立して広告企画会社のタグボートを作った**岡康道**さんは、運動部出身で営業職を選びます。ところがまったく自分に合わなかった。それで転局試験を受けてクリエイティブ職に異動。才能が花開くのです。

ちなみに岡さんの就活は、給与の高い会社から順番に受けたと言われていました。動機

が不純だったと笑われていましたが。

得意が見えなかったのは私自身もそうです。広告を作ってみたかっただけで、自分の「得意なこと」はまったく自覚していませんでした。ちょっとミーハーでファッション好き、もしかしたら企画とか立てるのにも向いているかも、くらいの感覚でした。

ところが、書く仕事をやってみてわかったのは、コミュニケーション力の重要性でした。といっても、とりわけ話すことや聞くことが好きだったわけでも得意だったわけでもありません。どちらかというと、特にフォーマルな場でのコミュニケーションは苦手意識がありました。

しかし、私には「知りたい」という猛烈な知的好奇心があったのです。これは間違いなく「得意なこと」だったのだと思います。取材に出向くと、次々に知りたいことが生まれ、どんどん質問を繰り出している自分がいました。

良い問いかけができれば、良い答えが返ってきます。良い情報が入ってくれば、それだけ広告制作や文章づくりには活きてくるのです。こんなことは当初まったく自覚はしていませんでした。

また、「自分が知ったことを伝えたい」という猛烈なモチベーション。これも「得意なこと」だったのだと思います。そもそもこれは知的好奇心の根底にあるものだと思いますが、ミーハーですから人が知らないことを知りたくてたまらないのです。

そして、ひとたび自分が知れば、外に出してもいい情報なら、強烈に伝えたくなる。しかも、順序立てて、わかりやすく人に伝えたいという意識があったことも大きいと思います。

こういうことを20代の私が自覚できていたのかといえば、まったくそうではありません。フリーランスで仕事をするようになって、周囲の人たちからそう言われるようになったのです。そこで初めて、自分の得意が自覚できたのです。

人は、案外よく人を見ているものです。**実は周囲の人たちのほうが、あなたのことをよくわかっている可能性がある。あなたの得意がどこにあるのか、あなたの知らない姿を知っている可能性がある。ぜひ、聞いてみるといい**と思います。

就活セミナーのカリキュラムにもあるようですが、友人に「他己紹介」をし合うのもいいでしょう。

なぜバンド活動が楽しかったのか、今はわかる

振り返ってみれば、他にも今の仕事が私に合っている理由が見当たりました。例えば、私は子どもの頃から音楽が大好きで、高校時代にも大学時代にもバンドに夢中になっていました。大学時代のバンドのメンバーの一人は、プロになりました。

では50代になって、今も音楽が大好きで最新トレンドを追いかけ、毎日のように音楽を聴き、ライブやコンサートに出かけているのかといえば、実はまったく違います。私の音楽生活は、ほとんど30年近く前で止まってしまっています。

仕事中は音楽を聴くことは絶対にありませんし（集中したいからです）、一日まったく音楽を聴かない日もあります。それで特に困っているわけでもない。7年ほど前から、懐かしい曲でバンドをやるようになりましたが、それは友人からお誘いがあったからです。

ではなぜ若い頃、あれほどバンドに夢中になったのか。それは、何かをみんなで作り上

げていくことが好きだったからだと思います。バンドでは、練習を積み重ねることで、クオリティをどんどん高めていくことができます。これが楽しかったのです。その何かをみんなで作り上げていくものが、たまたま音楽だったのです。

それでは、もし音楽業界を志望して、音楽の世界に入っていたらどうだったか。常に最新トレンドを追いかけなければいけないことは、苦痛そのものだったかもしれません。楽しめていたとは、とても思えない。

実際、私は今の仕事をとても楽しんでいますが、それは私が一人のプレーヤーとして動き、さらにみんなで作り上げられる仕事だからだと思っています。例えば書籍にしても、編集者がいて、デザイナーがいて、校閲者がいて、印刷会社の人がいて、書店の人たちがいる。こうして一冊の本というモノができあがり、世の中に流通していく。この「ものづくり」のプロセスが楽しいのです。

私自身、**書いていることが楽しいわけではまったくありません。企画やアイデア出し、そして本ができていく過程こそが面白い。表面的に見えるところには、実は本質的な楽しさはないのです。**

また、学生時代に私は政府系金融機関の福利厚生施設でアルバイトをしていました。バーとラウンジの担当でしたが、週末ともなれば１００人以上の来客がありました。それを担当するのは、アルバイト２人。

あっちでカクテルが注文されたかと思いきや、こちらではアイスクリーム。そっちでウイスキーの水割りを注文されたかと思いきや、向こうではコーヒー。20以上あるテーブルやカウンターから、さまざまな注文が飛んできます。

ホールも大わらわですが、カウンターの中も大わらわ。ところが、このパニック状態の週末が、私は大好きだったのでした。次はあれをやってこれをやって、と頭の中で計算し、テキパキとやるべきことをこなしていく。最短時間で、スパッと対応できたときの心地良さ。言ってみれば、カオスへの対応です。

今、私の仕事の多くは本を作ることですが、例えば他の著書の本づくりについて説明すると驚かれることがあります。10時間ほどインタビューした内容のスクリプトは３００枚ほどになります。ここから、どの内容を本のどこに入れていくかを考え、膨大な量の付箋を貼って管理するのですが、付箋が貼られた資料を見て「こんなの絶対にできない」と言われることが少なくありません。

これまた言ってみれば、カオスへの対応です。しかし、私にとっては、これはとても楽しいことなのです。

本づくりをするなど夢にも思っていませんでしたが、偶然にも自分にとって楽しい仕事に、本質的に合う仕事に巡り会うことができたのだと思います。

意識が内に向いている人、外に向いている人

なぜ「好きなこと」「やりたいこと」よりも、「得意なこと」なのか、に戻ります。それには、もう一つ理由があります。そのほうが、仕事を通じて貢献できる可能性が高いからです。お役に立てることが、より多くなると思えるからです。

ここは声を大にして言っておかないといけないことですが、**仕事は働く人の自己実現のためにあるわけではありません。誰かの役に立つためにあるのです。**誰かの役に立てるから、そこに価値が生まれ、報酬も発生するのです。

となれば、より誰かの役に立てるほうがいいに決まっています。より役に立てたら、仕

事の成功に近づけるでしょう。それはすなわち、自己実現にもつながりやすくなっていくということです。

これは後にも詳しく書きますが、私は仕事人には2種類の人がいると思っています。意識が内（自分）に向いている人と、外に向いている人です。やりたい仕事を貫くのは、意識が内に向いている人、ということになるでしょう。

しかし、**意識が内に向いていて、自分のために働いている人、自分のことばかり考えている人を周囲の人は応援したくなるでしょうか**。自分の「やりたい」「好きだから」ばかりを主張する人を、簡単に受け入れられるでしょうか。

もとより、「やりたい」といっても、その力は本当にあるのか。「やりたい」を実現するための努力はしているのか。「やりたい」を貫けるだけの裏付けは果たしてあるのか。「やりたい」は、そんな印象を抱かせる可能性もあるのです。

逆に意識が外に向いている人は、どういう人なのかというと、「自分がやりたいこと」ではなく、「自分が役に立てること」という視点で考えている人です。なぜなら、仕事は、誰かの役に立つためにあるからです。

仕事をする立場から発想するのではなく、その仕事を受ける立場から考えてみる。あるいは、仕事を発注する立場から考えてみる。そうだとすると、どんなコミュニケーションが有効になるか。

それは「こんなことができる」「こんなことを得意としている」「これなら、きっと貢献できる」というコミュニケーションではないでしょうか。

意識が外に向いている人は、面接での主張も変わるはずなのです。誰かの役に立つのが仕事だと認識していれば、自分ができることから、得意なことから発想しようとする。これなら貢献できる、と考える。貢献するために力をつけたい、と願う。

誰かの役に立つことを考えているのです。「自分のやりたい」ではなく、「誰かのために」という視点で発想するのです。さて、どちらの発想をする人を会社は求めるでしょうか。

ただ、「得意なこと」というのは案外、見つけることが簡単ではない。しかも、仕事の本質がしっかりと理解できているわけではない。

それでも、意識が外に向いているということを示す方法はあると思っています。それは、相手に委ねてしまうことです。

運や縁やタイミングや直感で会社や仕事を選んだ後の社長たちは、その選択をしたのではないかと私は思っています。「正直よくわからないけれど、何か自分にできることはやります」という姿勢でいたのではないかと想像するのです。

もっと肩の力を抜いて偶然に出会った会社にトライしてみる。相手のことがよくわかっていないのですから、「やりたい」「好き」ではなく、「できること」を相手に委ねてみる。

先にも書いていますが、**面接で素の自分を見せて、後は会社に委ねてしまう**、という選択も大いにありだと私は思っています。そうすると、会社はおそらく「できる」と思えることを求めてくる。そうなれば、素直にそれをやってみればいいのです。会社は「できる」と判断したのですから。

これもまた、偶然の選択の効能だと思います。

第2章のまとめ

- 好きだからうまくいくわけではない
- 「得意なこと」のほうが力を発揮しやすいし、結果的にうまくいきやすい
- 苦手なことを克服することよりも、得意なことを伸ばすことに頭を向けたほうがいい
- 「嫌いなこと」ははっきりさせたほうがいい
- 意識が内に向いていて、自分のために働いている人、自分のことばかり考えている人を周囲は応援したくなるだろうか

第3章

キャリアをあえて想定しない、という選択

配属にはこだわりを持つべきか、否か

仕事選び・会社選びについて書いていますが、実際には多くの人は会社を選んでいる、と言えるのかもしれません。職種別採用で、入社時点で仕事が決まっているケースもありますが、今なお総合職採用というのが一般的だからです。

となると、仕事が最初から定められているわけではない。希望を出すこともできるのかもしれませんが、それがすぐに確実に叶えられるというケースはむしろ稀なのではないでしょうか。

つまり、「やりたいこと」を求められているのに、実際にはその仕事に就けるかどうかは、実は確約されていないのです。それなのに、就活だからと「やりたいこと」を考えさせられ、そこにこだわることを求められるのは、改めていかがなものか、と私などは思ってしまいます。

先にも触れたように、持っている仕事のイメージと、実際の仕事はずいぶん違うというケースが少なくない。それなのに**「あれがやりたい」「あれはやりたくない」と最初から決めつけてしまっていたら、もしかしたら「天職に出会うチャンス」を失ってしまうことになりかねない。**

実際、偶然や縁を大事にして入社した後の社長たちは、ほとんどの人たちが、配属される仕事には、こだわりを持っていなかった印象があります。

昔は、新人が配属希望を強く主張することはあまりなかったようです。もとより偶然や縁で選ばれているので、さほど事業や仕事についての知識はなかった、ということも大きいかもしれません。

会社は選んだけれど、仕事は選んでいない。この先のキャリアは会社に委ねてみよう、と考えたのだと思います。そして、私はそこにも「偶然」が潜んでいたのだと思っています。

いっそのこと、会社が言うことを素直に受け止めてしまう。どんな仕事に配属になるか、どんな部署に属することになるか、委ねてしまう。

会社の人事部もバカではありません。もちろん、人の素養を見て、配属を決めます。人を見るプロなのです。「さすがにこの仕事は合わないだろう」という仕事には、そうそう配置することはない。

一方で、「この仕事を経験させておくといいかもしれないな」というところに配属を決めることもあります。その仕事のプロフェッショナルにするというよりも、長い目で見て、経験が活かせる仕事に配属する。戦略的な配属が行われているということです。

やりたいことにこだわる大きなリスク

そうは言っても、やりたくない仕事に就くのは嫌だ。あくまで「やりたいこと」にこだわりたい、という人もいるかもしれません。せっかく時間をかけていろいろ考えて、面接でも主張して、「やりたいこと」を貫いてきた。会社も当然、その「やりたいこと」を理解してくれたはずだ。それを叶えてくれるはずだし、だからこそ頑張れる……。

こうした考え方を否定するつもりはまったくありません。しかし、「やりたいこと」にこだわることには、大きなリスクも潜んでいるということは、認識しておくべきだと思います。先にも書いたように、「やりたい仕事」が、必ずしも「得意な仕事」とは限らないからです。

また、外から見えている仕事のイメージは、多くのケースで本質が捉えられていません。「あんな仕事がしたい」の「あんな」は、実は大いなる勘違いであることも少なくないのです。

だから、実際にやってみると「あれ？」ということも起こり得る。「こんなはずじゃなかった」ということにもなりかねない。自分にまったく向いていなかったということにも、気づいてしまうかもしれない。**仕事は、やってみないとわからない**のです。

また、同じ仕事でも、会社によってまるで性質が異なることも少なくありません。一口に営業と言っても、個人を対象にしたものと、法人を対象にしたものとでは大きく異なります。

取引先が旧態依然とした会社か、新興企業かでもまるで違う。また、扱う商品が金融商品とボールペンでは大きく異なります。売り先がイーコマース主体の会社もあれば、デパートという会社もある。まったく違うのです。

そうした仕事内容を完璧に把握して、その上で「やりたいこと」になっているのならわかりますが、それはなかなか難しいと思います。実際にやってみたら、イメージと違っていた、というのは大いにあり得るのです。

自分の得意は、実はなかなか自分では見えにくいもの。ならば、会社が得意と思ってくれたもの、あるいは将来、得意を活かすためにやったほうがいいと考えてくれたものに、素直に従ってみるという選択もあると思うのです。

個人的な印象ですが、最初は「えっ？」と思うような配属や仕事のほうがいい。そういうキャリアヒストリーを語ってくれた成功者は少なくありませんでした。

一番嫌いだった会計に配属された脇若英治さん

印象に残っている取材がたくさんあります。例えば、世界的なエネルギー企業、BP（ブリティシュ・ペトロリアム）の日本法人の社長をかつて務めていた**脇若英治**さん。早稲田大学商学部を卒業後、三井物産に入社、ハーバード大学でMBAを取得し、36歳でBPに転じ、52歳で日本人初のBPジャパンの社長に就任しました。

商社を選んだのは、世界を飛び回ってバンバン活躍してみたかったから。ところが、入社日に配属を聞いたら、食糧会計部第二会計室でした。海外を雄飛するはずが、会計。これに激しいショックを受けるのです。

振り返って、入社試験のときに聞かれたことを思い出したそうです。

「あなたが大学で一番嫌いだったのは何ですか」

脇若さんは、ここで即座に「簿記です」と答えたのでした。この一言が、もしやつながったのでは、と感じたそうです。やりたくないことをやらされることになってしまったのです。

しかも、動物のエサを扱う部門です。商社の華やかさはまるでなく、仕事の道具はソロバン。絶望的な気分になるのですが、少し経ってから気持ちを切り替えることになります。これも仕事ではないか、と。

すると1年後、米麦グループの担当に代わり、米麦がいかに儲かるビジネスか、ということが会計の視点から見えるようになっていったのだそうです。これは面白い、と初めて思ったのです。

会計、アカウンティングというのは、ビジネスの言語だったのだと脇若さんは語っていました。そのことに、次第に気づいていくのです。だからこそ、これを最初にやらせてもらったのは、振り返って本当にありがたいことだった、と。もともと嫌いだったのですから、なおさらです。

新入社員時代に「嫌だな」と思った、この最初の配属の経験が、実は自分のキャリアの中でも最も重要なものだったと脇若さんは語っていたのです。

その後、ハーバードビジネススクールに留学。2年後、ニューヨーク支店で業務部の勤務となり、そこでエネルギーの仕事に出会います。原油のトレーディングの仕事をするようになり、大きな利益を出していくのです。これが、BPからの誘いにつながります。天職となったエネルギーの仕事との出会いは、まさに偶然でした。

脇若さんの若い人へのメッセージは、とにかく勉強すること、でした。何でも興味を持つ。**くだらない仕事と思っても、必死にそれをやると何か動きが出てくる**。自分も最初のアカウントの仕事をいい加減にやっていたら、今の自分はなかった、と。

意に沿わない配属は、結果的にプラスになったのです。

配属された3K職場が嫌で嫌でしょうがなかった樋口泰行さん

もう一人、印象的だったのが、パナソニックホールディングス専務取締役、パナソニックコネクト社長の**樋口泰行**さんです。新卒で松下電器産業に入社。ハーバード大学でMBAを取得後、外資系企業などを経て日本HPやダイエー、日本マイクロソフトの社長を務め、現在は古巣のパナソニックに出戻ったという異色のキャリアの持ち主です。

樋口さんは大阪大学工学部で電子工学を学んでいたのですが、実はエンジニアではなく、自分に最も縁遠いと思っていた厳しい競争のある業界や派手な業界でチャレンジしてみたいと思っていました。しかし、理系出身の文系就職は珍しかった時代。地元の電機メーカーといえば、ということで就職を決めたのが松下電器でした。

ところが、会社から配属希望を聞かれて、「営業」と答えてしまいます。これが、予想もしないような部門への配属につながったようです。溶接機事業部。技術的にはほとんど成熟している事業部で、典型的な3K、「きつい、汚い、危険」な職場でした。

出社すると、つま先に鉄芯の入った重たい安全靴をはき、通常の作業着の上になめし革製の分厚い防護服を着る。その上に皮地のエプロンを着ける。真夏は蒸し風呂のように汗だくです。実験や評価のために長時間溶接を続けていると、金属粒子が容赦なく身体に飛び散り、眼鏡はすぐにダメになりました。眼鏡を買い換えるための、眼鏡手当が支給されていたくらいでした。

一日中、作業すると、全身は粉塵だらけで真っ黒。鼻の中まで真っ黒になりました。帰宅してからも、昼夜見続けた閃光で目が焼け、涙がこぼれて眠ることができないのです。

ショックな配属に、最初は毎日、嫌で嫌で仕方がなかったそうです。しかし、やがて腹をくくります。配属された以上は、この道でプロになるんだ、と。そして結果的に、この配属が良かったことが後にわかります。

ビデオやテレビといった当時の花形の事業部では、一つの製品に技術者200人、といった開発体制が敷かれていました。ところが、溶接機は小さな事業部。開発は3人程度。だから、電気回路だけではなく、筐体(きょうたい)(箱)の設計から何からすべてやらなければなりませんでした。顧客からクレームが入れば、飛んで行って直す。セールスにアシストとして同行する。すべてやらないといけない。言ってみれば、小さな事業の経営を、いろんなファンクションとして少しずつ勉強できたのです。

しかも、溶接機事業部としては5年ぶりの新人配属。鍛えてもらい、猛烈に勉強することになりました。開発の仕事が面白くなり、業界でも画期的な特許を出したりもしました。そして5年で、もうすべて学び切ったと異動願いを出し、次の職場で留学のチャンスを勝ち取るのです。

入社時、誰も希望していなかったような配属だったからこそ、大きく成長できたのです。

一番キツイところに配属を求めた出木場久征さん

配属が気に入らなくて、会社そのものを辞めてしまう人もいます。私も最初に就職したアパレルメーカーを辞めたのは、ここにも理由の一端があったのですが、近年ではこの配属ギャップで辞める人はかなり多くなっていると耳にしています。

売り手市場で人手不足、多くの会社が若手を求めていて、引く手あまただけに転職が難しくない。おまけに転職エージェントがいろいろ動いて、会社を見つけてきてくれたりする。転職のハードルはとても低いものになっているようです。

しかし、今の経営者世代の時代はそうではありませんでした。だから、意に沿わない配属になったとき、選択肢は2つしかありませんでした。不満を持ちながら我慢して耐える日々を送るか、嫌ではあるけれど前向きに受け止めて頑張ろうとするか。

成功しているビジネスパーソンの多くが、後者だったのだと思います。後ろ向きに受け止めたところで、どうにかなるわけではない。だったら、ポジティブに捉えて、目の前のことにしっかり向き合おうと覚悟する。実際に一生懸命やってみると、そこに大きな意味があったことに気づける。

これは30代、40代と過ごしていけば気づけることですが、仕事人生を送っていれば、**必ず思い通りにはいかない苦しい局面にぶつかります。苦しい仕事にも直面する。そこで活きてくるのは、苦しいこと、辛いことを乗り越えた過去の経験なのです。**

むしろ、最初から思うようにいかないことは、ラッキーなのかもしれません。苦しさに直面し、自分と向き合う時間を得ることができるからです。そのことが間違いなく成長をもたらします。

それがわかっているので最初から苦労を求めていた、という経営者もいます。40代の若さでリクルートホールディングスの社長に就任した**出木場久征**（いでこばひさゆき）さんも、その一人でしょう。早稲田大学商学部を卒業後、もともと3年ほどで辞めて起業しようと考えていたという出木場さんは、入社前、会社にこう伝えるのです。

「一番キツイところに配属してください」

待っていたのは、驚くべき配属でした。一覧表を見ると、同期の行き先は部門名。ところが、出木場さんの行き先には名称の前に「株式会社」がついていました。カーセンサーの営業専属代理店への出向だったのです。

しかも、いきなり最初の週からエリアを与えられ、「飛び込み営業してこい」と。同じ配属になったもう一人の同期はすぐに辞めてしまいました。

しかし、出木場さんは現場目線で課題に気づき、その後、インターネットを使った画期的な販売方法を確立させることになります。そして出向先での5年の実績をひっさげ、リクルートに戻ると猛烈なスピードで出世を遂げていくことになるのです。

厳しい出向という経験をしたからこそ、大きな力がついたのです。

まず一年、目の前の仕事をやってみろと言われた魚谷雅彦さん

心の持ちよう一つで、仕事が一変したという経験を話してくれたのは、先にも登場している資生堂の魚谷雅彦会長です。

高校時代に英語の面白さに巡り合い、いずれは世界を飛び回るような国際的な仕事がしたいと思っていたそうです。その後、同志社大学文学部へ。総合商社は学部制限で受けられませんでしたが、英語で仕事がしたいなら、で浮かんだのが、留学制度がある会社。こうして出会ったのが、ライオンでした。

しかし、当時は入社すると全員3年間、営業に配属されることになっていました。消費財メーカーですから、まずは営業現場を知らなければ、という発想があったのです。

入社後、大阪の小さな営業所に配属になり、ライトバンに販促資材を積み、販売店に向かう日々が始まりました。仕事は販売店のお手伝いから。当時は今のようなＰＯＳシステ

ムなどありませんから、お店の床に座ってラベラーで値札を貼ったりする日々。

国際的な活躍の舞台があると思って入社したのに、まったく違う世界です。会社案内のパンフレットに出ていた、海外の写真はなんだったのか。オレはこんなことをするために、この会社に入ったんじゃないぞ、と思うようになっていったそうです。

自分の将来はどうなるのかと不安になり、夏くらいに知り合いの年配の人に相談してみようと思い立ちました。

魚谷さんは、昔からすぐいろんな人に相談するタイプだったのだそうです。これは、若い人はぜひ真似てみるべきだと思います。

最初は叱られると思っていました。新入社員のくせに、君は何を甘いこと言っているんだ、と。ところが違いました。こんな言葉を返されたのです。

「君の気持ちは理解できる。前向きな気持ちがある人間ほど悩むもの。問題意識を持つことはいいことだ。でも、まだ22歳。**とにかく一年間ガムシャラに仕事をしてみたらどうか。一年経ってそれでも夢が実現できそうにないと思ったら、改めて決断すればいい**」

この言葉で、すーっと心がラクになったそうです。ひとまず一年間、目の前の仕事を気合いを入れてやってみようじゃないか、と。

不思議なもので、気持ちを前向きに持つと、何かが変わるものなのです。まずは「毎度！」と元気な挨拶から始めました。いきいきとやろうと。これだけで、取引先との関係が変わりました。

元気なヤツだと何人もの社長が可愛がってくれた。こうなると、営業成績もグンと上がります。そうすると、仕事もどんどん面白くなっていきました。

魚谷さんは入社直後から、留学したいと公言していました。週に2日、留学に備えて英会話学校に行っていました。授業は午後6時半から。残業する先輩もいて、生意気に思われていたかもしれない。ところが、だんだんまわりの人も理解し始めてくれます。

「おい魚谷、今日は学校じゃないか。時間来たぞ、早く行け」

ありがたいことに、みんなが応援してくれるようになったのです。そしてコロンビア大学でＭＢＡを取得。後に外資系畑に転じ、日本コカ・コーラ社長などを経て、資生堂の社長に就任するのです。

コピー取りでさえも楽しめた三木谷浩史さん

仕事に対するやる気が強ければ強いほど、もともと持っていたイメージと現実とのギャップに迷うことになります。そもそも**入社してすぐに任されるのは、だいたい雑用**です。誰にでもできそうなこと。そうすると、「どうしてこんなことをしなければならないのか」となってしまう人もいます。

しかし入社したばかりで、先輩たちと同じことができるはずがないのです。そうなれば、誰にでもできるけれど、誰かがやらなければいけないことから始めるしかない。

ここでもまた、意識が内に向いているか、外に向いているか、です。自分がやりたくないことをしていると捉えるか、組織のために役に立っていることをしていると考えるか。

ちょっと記憶がおぼろげなところもあるのですが、インタビューで面白い話をしていたのは、楽天の創業者の**三木谷浩史**さんです。三木谷さんが最初に就職したのは、日本興業銀行。配属された先で、まず指示されたのは、コピー取りでした。会議などに必要なコピーを用意する。

実は同期の多くも、同じようにコピー取りの仕事をお願いされていました。だから、コピー機の前で顔を合わせることになったりするわけですが、あからさまに不機嫌な同期もいたりする。どうしてこんなことをやらなければいけないのか、と。

しかし、三木谷さんは違いました。コピー取りをお願いされたのだから、最もうまくコピーを取ろう、と考えたのです。どうすれば、最も美しくできるか。どうすれば最も効率的にコピーが取れるか。

たかがコピーですが、実はされどコピーなのです。コピー取り一つで、仕事というものをどう考えているかが、見えてしまうものです。

何か新たな仕事を頼もうと先輩が思ったとき、**面白がって工夫して仕事をしようとしている人と、なんとなくクサって仕事をしている人と、どちらに発注するでしょうか。実はこういうところから、チャンスの差は生じているのです。**

こんな人の話もよく覚えています。メリルリンチの日本法人社長などを歴任後、島根県の出雲市長や国会議員を務めた**岩國哲人**(てつんど)さんです。外資系金融のキャリアが長かった岩國さんですが、アメリカの大学や大学院を出て会社に入ってくる人も少なくなかった。

しかし、彼らに最初に与えた仕事は、取引先へのレターを袋詰めして発送することだったのです。中には、「どうしてこんな仕事をさせるのか」と食ってかかる人もいたようです。

岩國さんはその理由を明快に語ってくれました。

それは、取引先へのレターの袋詰めも、会社の重要な仕事の一つだということ。その仕事は誰かが行わなければいけないことであり、同時に誰かが管理しなければならない仕事だということ。

レターの袋詰めの仕事を知っていなければ、レターの袋詰めのマネジメントをすることはできないのです。

もちろん、すべての仕事を経験することはできませんが、いずれマネジメントの仕事を務めることになるときには、こうした細かなところまで気を配らないといけない。そのことを知ってもらいたくて、あえてレターの袋詰めの仕事をさせていたのです。

すべての仕事に、きちんと意味があります。どんな仕事をするにせよ、そこにしっかり気づけるか、が問われてきます。そして周囲は、そういうことになったとき、どんな行動をするかをよく見ているのです。

華麗なキャリアは「行き当たりばったり」だった

たくさんのキャリアヒストリーを取材で聞いてきましたが、びっくりするような華麗なキャリアを作った人も、計算ずくでキャリアを作ったわけではない、という印象を強く持っています。

前出の資生堂、魚谷会長も、「行き当たりばったりです」とはっきり言われていました。事前にしっかりと計画を立てたわけではまったくなかったのです。

コロンビア大学でMBAを取得後、シティバンクに入社。2年でヨーロッパの食品メーカーに転じるも、後にフィリップ モリスに買収され、クラフト・ジャパンに名称変更。同社で副社長を務め、39歳のとき、日本コカ・コーラに上級副社長として入社します。

最初から計算ずくで、こんなキャリアが作れるわけがありません。実際、ヨーロッパの食品メーカーに転じたきっかけは、シティバンク時代の顧客と親しくなったことでした。

そのときどきで偶然があり、その流れに直感的に乗ったのです。

ただ、選択したものは、思い切り好きになって、のめり込んだと語っていました。死ぬほどのめり込んだのだ、と。大好きになったマーケティングは、何をするときも考えていたそうです。情熱を持って必死で取り組めば、自然に道は開けてくるものなのだ、と魚谷さんは語っていました。

魚谷さんのような人ですら、仕事はいつもうまくいくわけではないのです。山あり、谷あり。しかし、谷のときこそ、苦しんで、もがいて、悩んで、本当にこれでいいか、もっと違う答えがあるんじゃないかとまた考える。

簡単に日々の仕事やキャリアが進んでいったわけではないのです。でも、それがいいのです。これでいいのか、という問題意識を常に持つからです。それが頭にあるから答えが深くなる。感度も鋭くなる。さらに行動するようになる。

何度も壁に当たり、やろうと思ったことができなかったりするのです。それでも、あきらめなかった。いつも考え続けていた。そうやって試行錯誤を続けることで、自信を持って行動に移せるようになったというのです。

パナソニックの樋口さんは、ハーバード大学のＭＢＡ取得が、子どもの頃からの人格を変えるほどのインパクトをもたらすことになります。厳しい学びの日々の中で、人格が改造された。おとなしい性格です、などと言っていたら、はじき飛ばされてしまうような世界だったからです。

日本に戻ったら一生かけて留学の恩返しをしようと思ったものの、大いに悩むことになります。ここで本当に成長できるのか、と。苦しみ抜いた末に、退職を決断。次の行き先が決まる前に退職し、後にボストン コンサルティング グループに入社します。

猛烈なハードワークの中で気づいたのは、自分は現場の人たちと苦楽を共にした一体感を味わいたい人間だったということでした。ここから、コンピュータ産業にキャリアチェンジします。そして10年足らずで日本ＨＰの社長に就任。ダイエー、日本マイクロソフトと企業トップを務めることになります。

樋口さんは、**若いうちは現場をどっぷり経験したほうがいい**、と語っていました。販売現場でも、製造現場でも、そのほうが世界が広がるから。中堅以上になったら、できないことだから。

変化の激しい時代には多面性が求められます。だから、会社を替えていくのも一つの選択。ただし、一つの会社でやり尽くしたという段階があって、次に進むことが大切だ、と。

樋口さんも魚谷さんと同様、こうなろうと思ってやってきたわけではない、と語っていました。唯一、言えることは、目の前の仕事からは決して逃げなかったということ。目の前のことを大事にしたこと。それは、**いろんな偶然や人との出会いを大切にした**ということです。

藤森義明さんの源泉は、どれだけ自分の潜在力を試せるか

20代は目の前の仕事に集中していた、と語っていたのは、**藤森義明**さんも同じでした。総合商社の日商岩井から35歳でGE（ゼネラル・エレクトリック）に転じ、アメリカ本社の副社長まで務めた人物。その後、日本でLIXILのCEOを務めていました。

東京大学時代は石油工学を学んでいましたが、技術者より、経営や投資の道に興味を持っていました。日商岩井を選んだのは、学生時代のアメリカンフットボールの先輩たちがいたこと。よくある偶然のパターンです。スケールの大きな、やりがいのある仕事に就け

るチャンスがありそうだというイメージだったそうです。

実際、社長や副社長には当然なるだろうと思っていたと笑っていました。それはいわば前提条件だった、と。キャリアプランは、むしろ考えなかったそうです。

天然ガスを輸入するプロジェクトチームに入りますが、心掛けていたのはプロジェクトを成功させるために、自分のやるべきことをきちんとやること。これぞまさに、意識が外側に向いていたのだと思います。

実際、20代では極めて純粋にそう考え、目の前の仕事に集中していた。だから、会社からMBAを取りに行け、と言われたときには当初、行きたくないと思ったそうです。プロジェクトはまだ途中なのに、と。

ただ、今はそうは思わないと語っていました。どんなに今のプロジェクトで活躍していたとしても、視野を広げる機会があったら絶対に行くべきだ、と。後に藤森さんはカーネギーメロン大学に留学するのですが、これが大きな転機になるのです。

最も大きかったのは、世界にはすごい人材がいるのだと知ったこと。東京大学を出ていれば、日本ではチヤホヤされたりすることもあり、商社で仕事をしていれば、それなりの自信もあった。しかし、そんな自信は簡単に吹き飛んでしまったのです。

留学後、芽生えたのは、そうしたすごい人材と戦えるようなチャンスが欲しいという思いでした。そんなとき、たまたまヘッドハンティング会社からGEの話がきた。数社からGEを選んだのではなく、GEに興味を持っていたわけでもなく、たまたまだったというのです。

ジャック・ウェルチが率いる世界的企業として知られていたGEで成果を出し続け、抜擢に次ぐ抜擢で、入社から11年で日本人初のGE本社の副社長に就任するのです。

ただ、**副社長になりたいとか、たくさん給料が欲しいとか、そういうことを考えたことはまったくなかった**と語っていました。それは自分がやってきたことへの報酬ではあっても、目標にはなり得ない、と。

モチベーションの源泉は、どれだけ自分の潜在力を試せるか、でした。だから、こう言っていました。**自分に限界を作ってはいけない。限界を自分の中に作った瞬間に、成長は止まる。**一番すごいところで、一番難しいところで、自分をチャレンジさせられるようなところで、自分を磨く。その意識こそが必要だったのだ、と。

こうも語っていました。自信というのは、チャレンジから生まれるのだ、と。そのための勇気を持ってほしい、と。

読めないところに本当に面白いものがある

キャリアにおける偶然の大切さを、ずばり語っていた人もいました。36歳で入社したボストン コンサルティング グループで後に長く代表を務めた**御立尚資**（みたちたかし）さん。京都大学文学部を卒業後、最初のキャリアは日本航空でした。

もともと就職するつもりはなかったそうです。できると思わなかった。魚谷さんも語っていましたが、当時は文学部は学部制限で受けられる会社が少なかったのです。

大手レコード会社のディレクター試験に受かり内定をもらうのですが、悩みました。もっと違う道もあるのではないか、と思ったのです。それでいろんな話をしていたら、アメリカ文学を専攻しているのだから海外に興味があるだろう、と友人に教わるのです。

そこから日本航空という選択肢が浮かんだ。会社員をやるのであれば、より大きいところ、外に行ける可能性が高いところに行ったほうが自分を広げられるのではないか、と思うようになっていったそうです。

だから最初の就職は、正直に言うと成り行き、良く言うと運命、悪く言うとオプションがそれくらいしかなかった、と語っていました。いずれも、かなりの偶然の要素です。

幹部候補生として入社したものの、仕事は現場から。まずは大阪の空港のカウンターで、国内線のチェックインや、空席待ちのハンドリングを担当します。2年目からはアシスタントパーサーとして、機内サービスにも従事しました。

現場の仕事は、とても大きな意味があったそうです。例えば、飛行機が飛ばなくなったら、学歴もポジションも関係ない世界。そのときに正しい判断をした人間こそが正しいのです。目的に合致した正しい判断ができればいい。

アシスタントパーサーも、やってみて肉体労働としての厳しさに気づきます。華やかに見えるCAの仕事ですが、実は時差もあってキツイ。そういう中でサービスをする。そして、乗客から学べることも大きかった。

ファーストクラスでサービスをしたりすると、本物感のある人がわかったと語っていました。ひどい態度を取る人がいる一方、社会的に高い地位にあるのに、ものすごくちゃんと接する人もいる。

御立さんは若いコンサルタントとタクシーに乗ったとき、運転手さんに偉そうな口をきく人間には怒ると言われていました。普段は声を荒らげることはないけれど、そういうときは真剣に怒るのだ、と。そんなことをしていたら、どこまで行っても半人前にしかなれないからです。

後に、日本航空の経営企画で中期計画を担当。メキシコ駐在から33歳でハーバード大学MBAを取得したことが人生の転機になります。その後、30代半ばで同世代の友人たちが何人か続けて亡くなり、やりたいことがあるなら、やるべきではないかと思うようになります。そして、ボストン コンサルティング グループ行きを選択するのです。

御立さんの人生訓は、**希望するけれど予定しない**、でした。こんなふうになったらいいなぁとぼんやり思っておくのはいいけれど、計画経済のように夢を描いて、毎日それを眺めて、こうやっていくんだ、と進めていく人生はどうかと思う、と。

実際には偶然も手伝って、思いも寄らないチャンスが与えられることは、世の中にたくさんある。御立さんはそう語っていました。そういう**偶然を否定してしまう人生というのは寂しい**と思う、とも。

御立さんも具体的にキャリアについて考えたことはなかったと語っていました。それよりも、自分に与えられているものを必死にやろうと思っていた。そうすると、違うものが開けるときが来るのだ、と。

でも、何が来るのかは読めない。ただ、**読めないところに本当に面白いものや、自分がやらなければいけないものがある**のです。こうも言っていました。人のポテンシャルは、自分が思っているよりも大きいケースが多い。それを信じられるかどうかなのだ、と。

むしろ想定外を楽しむ、という心掛け

やりたい仕事が決まっていて、その仕事に邁進する。あくまでこだわって、会社を辞めてでも、やろうとする。そうした選択を否定するつもりはありません。仕事人生でそれが最も大切だと思うなら、その選択を取ればいい。

ただ、やりたい仕事が得意とは限らないし、やってみたらイメージと違った、ということもあります。そうだとしたら、考えは素直に改めたほうがいい。

先にも書いていますが、20歳そこそこで見える会社や仕事の世界と、一度、入ってから見えてくる世界とは、大きく異なります。違う世界が見えてきたり、新しい世界が見えてきたりすることがきっとあるのです。

仕事人生は長いのです。間違った、と思ったなら早めに軌道修正したほうがいい。やりたいことを改めて探し求める方法もある。一方で偶然や縁や運に委ねてしまう、という方法もあると思うのです。一見、やりたくないと見える仕事だったとしても、です。

仕事は心持ち一つで大きく変わるものです。嫌だな、やりたくないな、と思って取り組む仕事がうまくいくはずがありません。だったら、好きになってみる、という方法もある。好きになる努力をする。ポジティブに眺めてみる。きっとこれはいつか役に立つと捉える。

浅田次郎さんが、とても心に沁みる話をされていました。**今やっていることを好きになれない人は、案外、何をやっても好きになれないのではないか**と思う、と。

人間は思い込みで生きているところが大きいのです。だったら、好きだと思い込んでしまうのも、一つの方法です。浅田さんは言っていました。「思い込み」は、人生を有意義に過ごすための道具の一つなのだ、と。

若い時代の配属は、とびきり気になるものだということは、よくわかります。意に沿うような仕事に就けるかどうか。しかし、実はこれはこの先もずっと続くのです。一つの会社にいたとしても、転職したとしても、同じ仕事、同じステージにとどまり続けることはできません。成長すれば当然、新たな仕事、新たなステージが用意されていくことになる。そのたびごとに、配属にクヨクヨしていたらどうなるか。

それよりも、新たにもらったチャンスを活かすためにも、**偶然や運や縁を信じてみる。与えられた仕事を好きになる。好きになって、前向きにやってみようと考える。その姿勢が、さらなるチャンスにつながる可能性を生む**のだと思います。

ここまで紹介したスーパービジネスパーソンたちが、そうだったように。

思い込みを排除し、自分で選択することをやめたら

思い込みはできるだけ排除し、アンテナを広げ、多くの機会を持つ。そこで五感をフルに働かせて、直感で判断する。計算するのではなく、感覚的に捉える。多くの成功者の仕

事選び、会社選びは、こういうものだったのではないか、と私は想像しています。

もとより、絶対にこの仕事・会社は自分に合っている、などという確証は、自分の中でも得られるはずはないのです。どんなに考えても、未来はわかるはずがない。

だから、思い込みは排除し、なるようになるさと行動し、偶然の出会いに委ねた。直感や運や縁を大事に、五感で判断した。結果的にそれによって正解のようなものに近づくことができた。

個人的には非科学的なものやスピリチュアル的なものには関心はありません。ただ、そういうものがまったくゼロだとは思っていません。偶然や縁や運やタイミング、直感的なものがいかに人生に大きく関わるか。

たくさんの人のキャリアヒストリーを取材で聞きましたが、「あの人の存在が」「あの一冊が」「あの進学が」「あのニュースが」「あの出来事が」人生を大きく変えていったという話は、枚挙にいとまがありませんでした。

それは偶然によってもたらされたものがほとんどでしたが、もしかしたら必然だったのかもしれない、とも感じました。それは偶然にやってきたのではなく、いろいろな行動を起こしたからこそ、自分で引き寄せた可能性だってあるのです。

私は、フリーランスになって30年になりますが、そのきっかけは転職した会社が3ヵ月で倒産してしまったことでした。今も覚えていますが、入社をめぐって社長と面談をしたとき、誰かが後ろから洋服を引っ張っているような気がしました。

しかし、そこには誰もいませんでした。「よせ、よせ」と誰かが言っていたのかもしれません。実は私自身も直感的には、「大丈夫かな？」と思っていた。それを振り切って入社したことが、倒産、失業の悲劇を生むことになります。

もっとも、そのおかげで30年も続けられたフリーランスの道に進めたのですから、結果的にはポジティブな経験になったのではありますが。

先にも少し触れていますが、私の20代は、就職の失敗、転職の失敗、そして倒産と本当に悲惨なものでした。ただ、この悲惨な20代は何がもたらしたのか、後に自分でよくわかるようになっていきます。

いずれも、自分の勝手な強固な思い込みで動いていたのです。「こうでなければならない」「こうであらねばならない」。それが、納得のいかない毎日につながり、結果的に直感力すらも、鈍らせていった。自分で選択したことが、悲惨な日々を生んだのだと思います。

ところがフリーランスになってからは、私はすべての思い込みを排除し、自分で選択することをやめてしまったのでした。やりたいことを捨てる。自分のために働くのではなく、誰かのために働く。いただいた仕事にとにかく向き合う。目の前の仕事を頑張る。

言ってみれば、すべてを偶然に委ねたのです。すると、驚くほど多くのチャンスを手にすることになり、自分でもまったく想定しない未来に連れてこられることになったのでした。

自分の思い込みにこだわり、強引に偶然や縁や直感などの流れに背くことがいかに危険か。私は身をもって体験したのです。

第3章のまとめ

- 「あれがやりたい」「あれはやりたくない」と最初から決めつけてしまっていたら、「天職に出会うチャンス」を失ってしまうことになりかねない
- 仕事はやってみないとわからない
- くだらない仕事と思っても、必死にそれをやると何か動きが出てくる
- 面白がって工夫して仕事をしようとしている人と、なんとなくクサって仕事をしている人と、どちらに発注するか
- 今やっていることを好きになれない人は、案外、何をやっても好きになれない

第4章

爆発的に成功した
プロたちのキャリア論

芸能界だって実力1割、運9割だと語った石橋貴明さん

たくさんの人に取材していく中で考えるようになったのは、何をもって成功とするかは簡単に語れるものではない、ということです。

一見、世間からはうらやましいと思われる場所にいたとしても、本人はそう思っていないこともある。東京駅に近い丸の内に本社を持ち、誰もが知っている会社の役職者でありながら、あまりに残念な表情と態度で取材に応えていた人を見て、驚いたことがありました。

折しも同じ日に、東北新幹線に乗って地方都市に行き、古い工場の一角に間借りをして小さな会社を起業していた人は、端から見ればうらやましいとは言われないと思いましたが、ご本人は本当に幸せそうでした。

改めて思ったことは、成功や幸せは、あくまで本人が決めるものだ、ということでした。

たとえ周囲から見れば残念に見えても、本人が幸せな日々を過ごせているのであれば、それは成功だと思ったのでした。

一方で、世間からは成功者に見えていたとしても、本人の中で残念だと思っているのであれば、成功者でも幸せな人でもない。何より本人がそう思っているのですから。つまり、**成功や幸せは自分が決めるもの**だ、ということです。

ただ、誰の目に見ても成功者と言われている人もいます。突き抜けた成功、爆発的な成功をしている人たち。ありがたいことに私は、そうした方々にたくさんインタビューをしてきました。

彼らは仕事選びや会社選びについて、どんな考え方を持っていたのか。キャリアについて、どう考えていたのか。

ここまではビジネスに関わる人たちを中心に紹介してきましたが、それ以外も含めて、共通していたことがあると感じています。それは、やはり肩に力が入っていないということです。そして皆さん、とても丁寧で謙虚だったこと。驚くほどに、です。

今も鮮烈に覚えているのは、とんねるずの**石橋貴明**さん。彼が爆発的に売れていくのを見ていたのがまさに私の世代です。目の前に現れた長身の紳士が、頭をゆっくり下げて、にこやかに「よろしくお願いします」と言われるところから取材が始まったのでした。

そして、出てきたのが、芸能界だって実力1割、運9割だと思う、という言葉。あれだけのスターが、「運が9割だ」と語ったのです。実際、同年代のお笑いの世界にも、うまい人はいくらでもいたそうです。しかし、残った人は少なかった。

転機やチャンスは誰にでも人生に2度や3度は必ずあるものです。それをつかむのは、とても難しいのも事実。運も必要だし、タイミングも必要なのです。

ただし、運をつかむヒントはある。それは、辛抱だと語っていました。「石の上にも三年」。昔の人は良いことを言っている、と。**努力も大事。だって、運とタイミングが揃ったとき、準備ができていないと、それに乗れないから。**

そして、客観的かつ冷静に状況を自分で判断できるか。当たり前のことを当たり前にやれるかが、実は問われている。石橋さんは、そんな話をしていました。およそ、テレビでの印象とは異なっていました。そして、なるほどこういう人だから成功するのか、と思ったのでした。

逆張りでソニーを選んだ出井伸之さん

爆発的な成功では、いわゆる逆張りを発想していた人が少なくありませんでした。当たり前のことですが、**周囲の人たちと同じことを考えていて、突き抜けた結果を残すことは難しい**でしょう。だから、あえて逆の方向に行ってみる。

逆張りは、みんなが進んでいこうとしている道とは逆の道に進むことですから、リスクもあります。うまくいかなくなる危険も待ち構えている。しかし、**リスクがあるから、リターンがあるのです。**これは、物事の道理です。

リスクを取らないと、大きなリターンは得られません。大きなリターンを得たいなら、誰もがやっていないこと、やりたがらないことを狙う。これは、一つの考え方です。

ソニーの元CEO、出井伸之さんがまさにその一人です。ソニーへの入社は、まだ本社が木造の社屋だった黎明期の1960年。そして35年後の1995年、57歳にしてまさに世界的企業になっていたソニーの社長に就任します。14人抜きの抜擢と大きな話題になった社長就任でした。

出井さんは大学時代、ヨーロッパ経済を学んでいて、ヨーロッパで伸びそうなメーカーに行こうと決めていました。普通なら、すでにヨーロッパで伸びているメーカーを考えそうなものですが、出井さんは違った。

高校時代にトランジスタという衝撃的な技術を作ったソニーを知り、大学教授をしていた父親のツテで経済研究所の人を紹介してもらい、話を聞きに行ったのです。

専門家の解説は明快でした。社内に人材はいない。経営戦略はアメリカに向いている。出井さんは、これをチャンスだと考えました。大会社よりも小さな会社、人材のいる会社よりもいない会社、ヨーロッパはこれからという会社。

創業者の一人だった盛田昭夫さんは「われわれの会社に、ヨーロッパでやりたいという人が来た」と喜んでくれたそうです。

最初の配属は外国部の輸入部門。海外事業の花形は輸出ですから、ショックな配属だったと言います。しかし、輸出に行っていたら、基礎を学ぶチャンスはなかったと語っていました。輸入だったからこそ、契約や手続きを嫌でも勉強することになったのです。

配属が決まって嫌だな、と思うのは、苦手だからだ、と出井さんは語っていました。だから、**嫌な部署に行かされたら、喜んで行かなければいけない。苦手が解決できるから**です。

後にいろんな部署を経験する出井さんですが、「嫌だな」とか「傍流だな」と思ったところのほうが、花形の職場で過ごす10年より、ずっと力がついたそうです。

実際、会社の王道を歩んだわけではまったくありませんでした。事業部長に就任した事業も構造不況業種。ところが、そのときの経験を買われ、次から次へと社内の事業再生を担当することになります。

エリート街道ではなかったからこそ、本当の力がついたのです。

ヘッドハンティング会社とは、常にコンタクトを取っていたそうです。自分の市場価値がチェックできるから。そして、どういう条件なら辞めてもいいのかを決めておく。しかし、出井さんは辞めませんでした。ソニーという会社との相性が良かったから。

相性こそ、その会社での結果を大きく左右する、と語っていました。

ベンチャーより、小さなメーカーから始めなさい

もう一人、人と違うことをする「逆張り」だったと取材で語っていたのが、**成毛眞**さんです。中央大学商学部を卒業後、北海道の自動車部品メーカーを経て、1981年にアスキーに入社。そして1986年にマイクロソフトに入社し、1991年から2000年まで日本法人の社長を務めました。今は、ベストセラー作家としても知られています。

大学を出ると、大企業を目指した人が多かった時代。みんなが大企業に進むから、あえて小さな会社を選んだといいます。そして、もっと面白い仕事がしたいと望み、アスキーに転職したことが人生の転機になりました。

もともとアスキーには、雑誌記者になりたくて入ったのだそうです。ところが、いきなりマイクロソフトに出向してくれないか、という話になった。成毛さん曰く「面倒なので」、とりあえず行ってみたそうです。

まさに、やりたい仕事ではないところへの、いきなりの配属です。このとんでもない配属を、受け入れたのです。まったくの偶然でした。

実はマイクロソフトも3年ほどで辞めるつもりだったそうです。外資系銀行に転職しようとした時期もあったと語っていました。

しかし、マイクロソフトが爆発的に成長を遂げていた時代です。仕事は面白く、居心地も良かった。成毛さんが社長を務めた時代、90億円だった売上高は8年で約19倍にもなるのです。

ただ、成毛さんはベンチャー企業に就職することを勧めていたのかといえば、違っていました。学生には、100名規模のメーカーに行きなさい、とアドバイスしていました。20歳そこそこでベンチャーに行ったところで、経験できることは限定される。24時間同じ仕事をして、手に職も能力もつかない可能性もある。それよりも、メーカーに3年間行きなさい、と。

モノづくり、仕入れ、加工、流通、原価構造、財務など、さまざまな現場が見られるからです。**小さ過ぎても、大き過ぎてもいけない。100人くらいなら、すべてが見られる。このノウハウが次に大きく活きてくる**、と。

実際、マイクロソフトに出向になったとき、前職の北海道の自動車部品メーカーでの経験が大きく活きたのだと思います。だから、36歳の若さで日本法人の社長を任されたのでしょう。

ちなみに成毛さん、もともと楽観的で、最初の転職もまったく不安はなかったそうです。その源泉が、読書でした。子どもの頃から活字中毒で、それこそ考え得る限りのジャンルの本を読んでいた。これが本質的に自信につながっていると語っていました。

学歴でもなく、職歴でもなく、読書量が自信を生んでいたのです。

もともと世の中は不確実なものと思っていた松本大さん

この人の選択も、かなり「逆張り」だったのかもしれません。マネックス証券の創業者、**松本大**（おおき）さんです。東京大学法学部卒業後の１９８７年にアメリカのソロモン・ブラザーズ・アジア証券に入社。１９９０年にゴールドマン・サックス証券に転じ、１９９９年にソニーと共同でマネックス証券を設立しました。

今でこそ、外資系金融は人気の就職先の一つになっていますが、当時はまだまだマイナーな存在でした。しかも1987年といえば、バブル前夜の日本経済の絶頂期。日本の銀行が、大きな存在感を示していた時代だったのです。

しかし、松本さんは冷静に見極めていました。もともと世の中は不確実なものだと思っていたからです。特に理由があるわけではなかった。学生の頃から、肌で感じていたのだそうです。

松本さん自身はサラリーマン家庭に生まれ、保守的に育てられていました。どちらかというと、冒険とか、新しい展開とか、そういうものを考えるような環境にはありませんでした。

ところが大学時代、ある友人の家族との付き合いが松本さんに変化をもたらすのです。友人の家は事業家でした。**世の中は、決められた選択肢の中でしか生きられないわけではない**。彼らは、そんな思いを十分に抱かせてくれたのだと言います。

松本さん自身も、不確実で流動的な世の中であってほしいと思っていたのかもしれない、と語っていました。こうに違いない、こうでなければならない、という固定化した発想を持ちたくなかったのです。

働くことについて20代から考えていたことは、**「自分の力をどれだけ最大限に発揮できるか」**こそが重要だということ。もともと競争心が強く負けず嫌い。自分がどれだけ吸収できて、どれだけ新しいものを生み出せて、結果としてどれだけ効率よく自分の力が出せたかに、強い興味を持っていたといいます。

ゴールドマン・サックス時代には、30歳で史上最年少のゼネラル・パートナーになっています。しかし、株式公開直前に退職し、起業します。もう少し待っていれば巨額の資産が入ったのに辞めてしまったことも話題になりました。

もともと会社を作りたいとか、起業したいとか、そんなふうに思ったことは実は一度もなかったそうです。ところが、１９９８年にインターネットに詳しい人と知り合い、インターネットが時間も場所も共有しなくてもいい効率的なインフラであり、これがほとんどのビジネスを再構築していくだろうと感じることになります。

とりわけ金融の世界では、インターネットを使った直接金融ビジネスが極めて重要になると思った。当時勤めていたゴールドマン・サックスにこの事業を始めるべきだと提案するのですが、個人対象のビジネスはできないと言われてしまいます。それで、自分でやることにしたのです。

あの時点では、ネット金融ビジネスこそが自分の馬力を最大限に発揮できるステージだと確信していたと言います。一方で証券ビジネスでは、手数料自由化が1999年10月と決まっていた。時間軸という座標が、さらに起業の後押しをしたのです。

みんなが集まる野原に野イチゴはないと秋元康さんは言った

人があまり行かないところに行く。これは、爆発的な成功の重要なヒントの一つかもしれません。この人も、もし就職するとすれば、あえてみんなと逆に行く、と語っていました。作詞家であり、AKB48や乃木坂46をはじめとした大ヒットグループを生み出した**秋元康**さんです。

音楽、テレビ、映画などで次々にヒットを世の中に送り出してきました。高校時代から放送作家として活躍してきた秋元さん。その「売れる」秘訣を聞きました。

秋元さんとて、自由業で、小さな一個人。だから、**みんなと同じことをしていたら負けてしまう**、と語っていました。みんなが集まっている野原には、野イチゴはない。だから、野イチゴがたくさんありそうな未開の場所を探すのだ、と。

流行に関わる仕事をしてきて感じていることがあったそうです。それは、今はやっているものは、1年前に植えられていたということ。例えば今、ヒマワリが高値で取引されているとして、ヒマワリを今から植えたらみんなと同じです。待っているのは、暴落しかない。必要なのは今、タンポポを植える勇気だというのです。

そしてもう一つ、秋元さんには好きな言葉がありました。

「止まっている時計は日に2度合う」

例えば、ずっと前から延々とカスミ草だけを植えている人がいるとする。自分の姿勢を決して曲げない。カスミ草は今はヒットしていない。でも、何年かに一度、カスミ草の大ブームがやってきて、この人は高い評価を受けるのです。

一方、ただ流されて、ヒマワリだ、タンポポだと移ろう人もいる。みんなが行こうとするところ、そのときに流行しているものを追いかける人のことです。こういう人は、永遠に時代から5分遅れで走り続けることになります。一度も時間は合わない。

秋元さんはこう言っていました。もし今、就職先を選ぶとすれば、あえて最悪のところを狙うだろう、と。みんなと逆へ逆へと行く。それが自分のやり方なのだ、と。

ボロボロの状況にあるときこそ、チャンスのシグナルなのだということです。蛇がいたり、滝があったりもする。しかし、**みんなが危ないという場所にこそ、野イチゴはたくさんある**のです。そもそも正解なんて、どこにもないと秋元さんは言っていました。でも、正解だと言う人に、人はついていくのだ、と。はっきり「こうだ」という思いを持っている人に近づこうとする。そして、そういう人のところに、仕事は集まる。

秋元さんは成功を手にした人にたくさん出会ってきました。では、この人たちは何が違うのかというと、簡単だと言っていました。「行動を起こしている」ということです。まさにこれは、行動こそが偶然を起こすから、なのかもしれません。

問題は、やるかやらないか、なのです。ここが運命の分かれ道。しかし、実行に移す人は案外少ないのだ、と語っていました。

みんなと逆を行く勇気を持てるか。いつか合う時計を待てるか。ユニクロしかり、ニトリしかり、ソフトバンクしかり、30年前はほとんど誰も知らない会社だったのです。それを選べた人が、大きな果実を手にしたのは事実なのです。

柳井正さんは当たり前のことを当たり前にしているだけと言った

ユニクロの**柳井正**社長のインタビューもよく覚えています。1984年に1号店を出店。以後、驚くほどの成長でまさに日本を代表する企業へと躍進しました。

柳井さんがインタビューで語っていたのは、当たり前のことを当たり前にしている、でした。それだけなのだ、と。会社の存在意義やビジョンをしっかり共有し、それを社員全員が意識して仕事に取り組んでいる。商売の原点をきちんと守っている。

小売りの世界は、以前は生産者の時代でした。店頭で販売している人の時代が、買う人の時代に変わった。かつては業者が「うちは販売だ」「うちはモノを作る」「うちは物流」と勝手に決めていましたが、本当に買う人の立場に立って責任を持って商売をしようと思ったら、企画から生産、物流、販売まで、一貫して手がけるのが自然なのだと語っていました。

買う人とモノを作っている人のインターフェースに立ち、そのすべてをコントロールできることは、企業として理想的。リスクは１００％自分たちにあるけれど、リターンも１００％ある。これも商売の原点だ、と。

もう一つ重要なことが、個人個人の仕事がきちんと実行されていることです。柳井さんは、個人の能力が企業を左右する時代になったと語っていました。だから、採用を重視し、優秀な人材をその時代ごとに受け入れ、ステージを変えていったのです。

実は24歳で家業を継いだとき、柳井さんとの意見の衝突で、７人いた店員が１人を残して全員辞めてしまいました。経営者としては、いきなりの大失敗。しかし、結果的に商売に関しては自分で経験することができた。販売、人の管理、仕入れ、返品、経理……。この体験が大きな意味を持つのです。

ただ、30代までは、目の前の経営をすることでいっぱいいっぱいだったので、将来のビジョンなんて描けなかったそうです。心掛けていたのは、とにかく会社をつぶさないようにすることだけだったのです。

失敗もたくさんしたと言います。しかし、致命的にならない限り失敗はしてもいいと考えていました。**やってみないとわからない。行動してみる前に考えても無駄。行動して、**

考えて修正すればいい。それが人生だし、それが商売だと考えている、と。

これは会社選び、仕事選びの考え方にも近いと思います。まずは行動してみる。そこから起こる偶然や縁を活かす。違っていたと思えば修正する。

柳井さんは、もともと商売には向いていない性格だと思っていたそうです。でも、商売にずっと携わって、わかったことがあった。それは、向き不向きではなく、**これだと思う仕事を一生継続することが何より大事**だということ。自分の方向性をはっきりさせるということです。

そして、環境の大切さを意識すること。自分の能力以上を求められる環境でなければ、成長は難しいのです。

インタビュー時、全社員に**「自営業者になりなさい」**と言っていると語っていました。どんな人を採用したいかと問われたら、将来、経営者になりたい人と答える、とも。そんな人材を採用し続けたからこそ、ファーストリテイリングは、今や世界に冠たる会社になったのです。

藤田晋さんにとって大事なのは、一緒に働いて合うか合わないか

方向性がはっきりしていたから自ら頑張れた、と語っていた人には、サイバーエージェントの創業者、**藤田晋**さんもいます。1998年、24歳で設立したインターネット総合サービス企業は、今や年商が7000億円を超える会社に成長しました。

藤田さんは、今までの人生で最も辛かったのは、大学1、2年生の頃だと語っていました。ただなんとなく、ダラダラと過ごしていたから。目標もないまま毎日を送るのは、本当に苦しかったそうです。

しかし、自ら動いているうちに「会社を作る」という目標が途中で見つかることになります。それからは人生が一気に変わっていくのです。

新卒で入社した会社では、早朝から深夜までモーレツに働きます。周囲からは、とても真似はできないと言われたこともあったそうです。しかし、藤田さん本人はただ目標に向

かって突っ走っていただけでした。頑張ったという意識もあまりなかった。

持っていたのは、自立したプロ意識のようなものでした。仕事は法人営業でしたが、勤めた会社をクライアントのように考えていたといいます。

会社の方針、社員への期待、そして求められる成果を強く意識していた。後にそれが、実力となって跳ね返っていくのです。

ただ、会社選びで大事なことを聞いてみると、一緒に働いて、合うか合わないか、だと語っていました。そして、主体性を持つことだ、と。

20代前半の頃は、やりたいことや向いていると思うことは、毎年のように変わることが多い。だから、あまり固執しないで、いろいろ試したほうがいい。就活でやりたいことを絞り込んでしまった人は、自分の可能性を狭めてしまったかもしれない、とも語っていました。ただ、軌道修正は何度でもできるし、したほうがいい、と。

心に留めておかないといけないのは、軌道修正をしていい期間は長くないということです。だから、主体性が重要になるのです。**主体性を持って選べば、将来に覚悟ができる。**

そしてもう一つ、藤田さんが強調していたのは、**リスクのないところにリターンはない、**でした。得られるものが少ないとは、成長する機会が少ないということ。自分を成長させるには、業界や会社が成長していることが大事になる。

抜擢してもらえない。会社はわかってくれない。そんな愚痴を言っていてもしょうがない。その会社は、そういう環境なのです。だったら、違う環境を選べばいい。自ら主体的に。

自らを守るには、キャリアを得るしかない、という言葉は印象的でした。経験が得られない環境にいることは、実は最も危険。それは、間違いないことだと思います。

49歳になって天命を知った北尾吉孝さん

49歳になって、ようやく天命を知った、という経営者もいました。SBIホールディングスの創業者、**北尾吉孝**さんです。野村證券ではニューヨーク拠点などを経験、事業法人部を率いた後に、44歳でソフトバンクに転じ、49歳で独立しました。

野村證券では将来の社長候補として早くから異例の抜擢を得ていました。その理由は北尾さんが金融業界を選んだ理由を明快に語っていたことも大きかったのかもしれません。マーケットが非常に大きいこと、資本主義の歴史の中で新産業を作るリーダーシップを発揮してきたこと。

慶應義塾大学経済学部卒業後は銀行に行こうとしていた北尾さんでしたが、大変な熱意で野村證券から誘われることになります。土壇場になって、野村證券に決めるのです。

そして異例のキャリアが始まります。通常、新入社員は営業からスタートしますが、最初から総合企画部に配属になり、イギリス留学、ニューヨーク拠点、さらにはアメリカのM&A企業の役員なども務めるのです。

父親の影響もあって、中国古典の世界が精神的なバックボーンとしてあり、それが一つの人間的な強さになって表れていたのかもしれない、と語っていました。顔つき、物言いや風格など、他の人とは違うものがあったのかもしれない、と。

実際に大学時代、よく勉強していたし、たくさんの書物も読んでいたそうです。だから面接で、「投機の経済的意義を述べよ」と言われても、はっきりと答えることができた。また最終の副社長の面接では、どんな仕事がしたいかと言われて、こう答えるのです。

「どんな仕事でも結構です。社命に従ってやらせていただきます。ただ、どこに行っても僕は、世界経済の中の日本経済、日本経済の中の金融機関、金融機関の中の野村證券という3つの位置づけを常に考えながら働きたいと思います」

副社長は「あいつはオレが直接指導する」と語ったそうです。そして北尾さんは努力を重ねて結果を出します。期待されている数字の1割、2割増しではなく何倍もの数字を自ら目標にするのです。成果には運、不運もある。しかし、まずは人事を尽くす。努力する。そして待つのだ、と。

ソフトバンクの孫正義会長からの誘いは、天の導きだと感じたそうです。同社での経験が、起業につながっていきます。

人は、生まれたときから、この世の何かから使命を与えられていると思う、と北尾さんは語っていました。それを、起業した49歳で自覚するのです。すると、それまでに起きたことが、すべて与えられた天命に向かって起きていたことだったと感じたそうです。

だから、どんな仕事も一生懸命にやらないといけない。どんな職場にいても、努力しないといけない。それが、後の大事な肥やしになるからです。すべてを受け入れるのです。

こうも語っていました。正しく生きようとすること。人間性を磨くこと。それが、他を利する。いつかそれは、自分に戻ってくる、と。

アニメに関わりたいわけではなかった鈴木敏夫さん

2024年3月、『君たちはどう生きるか』での2度目の米国アカデミー賞受賞が大きなニュースになった、スタジオジブリの宮﨑駿監督。その懐刀、プロデューサーの**鈴木敏夫**さんへの取材もまた、忘れられないインタビューの一つです。

通された応接間で大きなテーブル越しにインタビューをしていたのですが、鈴木さんの向こうにある大きなガラスの棚には、本やらDVDなどに混じって、何やらキラキラした金色に光るものがあったのです。

終わってからおそるおそる、「もしや、あれは?」と聞くと、なんと『千と千尋の神隠し』のときのアカデミー賞のオスカー像だったのでした。しかも「あ、見ますか?」と棚から取り出し、「持ってみますか?」「写真に撮ったら」などなど、とんでもないものをあり得ないほど気さくに触らせてもらったのでした。このときの写真は家宝になっています。

そんな鈴木さんのキャリアのスタートは徳間書店。学生時代、特にやりたいこともなく、将来はどうしようかと悩んだ挙げ句に浮かんだのが、文章でした。アルバイトなどで書いたことがあって、上手い下手は別にして書けた。それで出版社を受けたら、通ってしまったのだ、というのです。

配属は週刊誌の「アサヒ芸能」。記者になりたいわけではなかったけれど、仕事は面白かった。芸能から政治、暴力団まで、あらゆるテーマの事件をリポートします。この仕事で、リアルにモノを捉えることの大切さを学ぶのです。

アニメにはまったく関心はなかったのですが、29歳のとき、先輩の名物編集長に呼び出され、アニメ雑誌の創刊を手伝ってほしいと言われます。これもまさに、偶然、の出来事でした。

なぜアニメ雑誌なのかと編集長に聞くと、息子が『宇宙戦艦ヤマト』のファンだったからだと言われます。鈴木さんは笑ってしまったそうです。**仕事は公私混同でやるべきだ**と、このときに教わったと語っていました。

スタッフはみんなアニメの素人でしたが、自分たちが面白そうなものを記事にしていくと、部数はどんどん伸びていきました。しかし、売れる雑誌はやりたいことがやりにくくなる。それで部数を落とそうと、まだ無名だった宮﨑駿さんを40ページの大特集で展開したそうです。

宮﨑さんを教えてくれたのは、アニメファンの高校生。宮﨑さんの映画を観た鈴木さんはびっくりして、直接、会いに行ったそうです。すると、とにかくウマが合った。気がついたら延々と2人でしゃべっていた。一緒に仕事ができたら楽しいだろうな、と思ったそうです。ただ、当時はまだまだ無名。宮﨑さんが世に出る可能性なんて、まったく考えていなかった。

映画の仕事をするようになったのは、自分たちで作品を作ったら取材も簡単だろう、という思いからでした。こうして生まれたのが、『風の谷のナウシカ』でした。

映画づくりは面白かった。少ない努力で大きな成果を挙げられる仕事が、鈴木さんは好きなのだと語られていました。その実現を目指しているのだと。

最初から映画を作ろうと思ったわけでもない。アニメに関わりたいと思ったわけでもない。**偶然と小さな出会いを大切にした**ことが、世界的な名作を次々に生み出すプロデューサーになるという驚くほどの結果を生んだのです。

倉田真由美さんは自分にウソをついてはいけないと思った

人気漫画家となり、テレビのコメンテーターとしても活躍する**倉田真由美**さんも、取材が強烈に印象に残っている一人です。自分にウソをついてはいけない、と。

子どもの頃から漫画好きで、少女漫画を描いてはコンテストに応募していました。ところが、箸にも棒にもかからず、「いつかは」と思っていたそうです。しかし、大学進学で東京に出て、初めて恋を知ると漫画はそっちのけになります。実際に恋を知ると、虚構の恋の話など、描けなくなってしまったのです。

ところがやがて就活の時期が来ると、頭に浮かんだのはバリバリ働くキャリアウーマンの姿でした。かっこいいスーツを着て、ニューヨークあたりで外国人と仕事していたりする。そんなイメージだけが独り歩きして商社を受けるも全滅。留年して再挑戦するも全滅。

どうしてダメだったのか、後にわかったそうです。「毎日、日経新聞を読んでいます」なんてウソをついて、必死に背伸びしていたから。隠そうとしても、**背伸びは大人にはわかってしまう**のです。しかも受けていたのは、超大手の企業ばかり。

そんなとき、浮かんだのが漫画でした。そして週刊誌から声をかけられ、人生の勝負の懸け時だと捉えるのです。今まで一番笑いが取れた話は何だったかと振り返った。それが、20代前半でダメ男と付き合っていた話でした。これが、後に大ヒットする漫画につながります。

倉田さんが語っていたのは、迷ったら積極的なほうを選択すること。動きのあるほうを選ぶ。動かないと何も変わらないからです。ご自身も、後悔は行動しなかったことばかりだと語っていました。

就活も、もっとたくさんいろんな会社を受けておけばよかったと、ずっと思っていたそうです。やろうと思ったことは、絶対にやっておいたほうがいい。チャンスは、二度と巡ってこなかったりするからです。

積極的な選択は、失敗したときのダメージは大きい、とも語っていました。しかし、その分だけ大きなものが得られる。たくさんのことが学べる。失敗を次につなげるようにすればいいのです。

積極的な選択をすると、必ず何らかの変化が起きます。偶然が起こるのです。それが、考え方を変えてくれる。考え方は、どんどん変わっていっていいのです。絶対的な信念に凝り固まって、そこから動けない人は、成長力がない人なのです。

成長できないとどうなるのかというと、年を取るのが悲劇になる、と語っていました。人間、中身が同じなら入れ物は若いほうがいい。内的に成長していないと、魅力のない人になってしまうのです。

動いてどんどん考え方を変えていくことこそ、大事なこと。**行動すればするほど、偶然や縁が起きる可能性が高まる**のです。

小山薫堂さんはしっかりアンテナを立てていた

積極的な行動が何をもたらすのかというと、思わぬ偶然です。しかし実は、じっとしていても、思わぬ偶然が起きていることもあります。

良い偶然があるのに、気づかない人が多い、と語っていたのは、数多くのヒット番組を手がけた放送作家として、またアカデミー賞を受賞した映画『おくりびと』の脚本家として、さらにはさまざまなプロジェクトの企画やプロデュースで活躍している**小山薫堂**（くんどう）さんでした。

実は、メディアの世界で働くつもりではなかったのだそうです。まさに偶然の連続が起こった。もともとお父さんが熊本で会社をやっていて、大学を卒業したら継ぐつもりだった。ところが、人生を変える人に何人も出会うことになってしまったのです。

例えば高校3年のとき、隣に座った友人。彼が「僕は映画監督志望で日大の芸術学部を受けるんだけど、別の学科の願書が余ってるからあげるよ」と芸術学部の願書をくれた。それで放送学科を見つけて、受験することになった。

また芸術学部の面接試験で、隣に座った女の子。小山さんは京都の大学にも合格していたのですが、その女の子がかわいいというだけで、東京に来ることを決めてしまうのです。もっとも彼女は、入学したらすでに彼氏がいたそうですが。

そして入学すると、偶然に先輩からラジオ局のアルバイトを引き継ぐことになった。最初はコピー取りなどの雑用から始まりましたが、プロデューサーから「キミ、なんか書けそうな気がする」と言われ、ラジオの世界に入るきっかけを得るのです。

その後、アルバイトを続けるうちに放送作家と仲良くなり、一緒にニューヨークに行くことに。一緒に来る友人がいると待っていたら、そこに現れたのは俳優の三宅裕司さん。

この旅行で三宅さんとも仲良くなり、「今度、番組の打ち上げやるからおいでよ」と言われて行ってみると、放送作家から「作家になるための修業をさせてるんです」と紹介されることに。

ガムシャラに目標に向かってという感じではまったくないのです。その後、ビジネスがやりたくて店をやろうとして失敗。作家の仕事が増え、作家一本になります。

もともと「自分が楽しみたい」「人を幸せにしたい」「誰かを驚かせたい」という気持ちは人一倍あったそうです。これぞまさに仕事の本質です。それを実現する手段の一つが、放送作家だったのです。

小山さんが語っていたのは、若いときのチャンスの見極めの大切さです。すべてを一生懸命やろうとしても、それは難しい。それよりも、**人生の中で「ここは大切だな」と思うところで力を出す。**

人生という太い川を人はカヌーに乗って下っている。でも、川は支流があって枝分かれしている。どこの支流に行けば良い流れにつながるか、その瞬間瞬間で判断しないといけない。ここだと思ったときに、人生のオールを使って必死にこいで理想の支流に行く必要がある。

人生は選択の連続であり、そのたびにオールを使うのです。では、どの支流を選ぶべきか。それは自分の勘や運命に加えて、「偶然力」によるところが大きいと小山さんは語っていました。良い偶然があるのに、気づいていない人がいかに多いか、と。

しかし、偶然力は養うことができるそうです。小山さんは、いつもタネを拾いなさい、と言っていました。「これは使えそうだな」「何かのきっかけになるな」と思ったタネは、どんどん人生のポケットに入れていく。あまりあれこれ考えず、偶然に面白いと拾ったタネを大事に持っておく。そのタネが、何かのつながりを生んだりするのです。

だから、日頃から、行動する。**しっかりアンテナを立てておく**。人は見えているようで、やっぱり見えていないのです。見えている人は、それをタネとしてポケットに入れている。だから、**偶然を転機として活かすことができる**のです。

いろんな経験が後につながると石田衣良さんは言った

ああ、こんな考え方もあるのか、とハッとさせられた取材もありました。作家の**石田衣良**さん。37歳のとき、『池袋ウエストゲートパーク』でデビュー。宮藤官九郎さん脚本の人気ドラマの原作です。後に、直木賞作家の仲間入りをします。

大学卒業後の3年間、フリーターをしていました。就職するのが面倒だったというか、性格的に会社員は無理だと思っていたのだそうです。社会に出ることや会社で働くことは、すごく大変なことだと思っていたからです。

ところが25歳で、お母さんが急に亡くなってしまいます。これが一つの転機になりました。これを機会に、世の中を見てみようか、ちょっと怖いけどやってみようかなと就職してみたら、実はそんなに厳しいものではなかったとわかるのです。

一人で勝手にすごく高い壁があると思い込んでいたら、意外に大したことがないとわかった。就いたのは、広告の仕事。原稿用紙を埋めることでお金になるのなら何でもいいと思っていたそうです。広告は文字の単価が最も高かった。

広告プロダクションに勤務しますが、5回ほど会社を替わっています。仕事は楽しかったけれど、会社に頼ろうとか、そういう気持ちはまったくなく、嫌ならいつでも辞めて次の会社を見つければいいと思っていたそうです。

基本的に、わがまま。仕事はちゃんとやっていたけれど、朝は遅くにしか出社しないし、夕方は定時でさっさと帰ってしまう。みんなと同じは嫌なので、全員Tシャツで働いているのに、一人だけネクタイを締めて行ったりもしたといいます。こんな生き方もあるのです。

30代になってフリーランスになりますが、この仕事に一生かける、みたいな気合いの入ったものではなく、適当に食べられればいいや、という感じ。実際、仕事は毎日2、3時間だけ。それで、時間もあるから小説を書いてみようかなと書き始めるのです。

子どもの頃から本が好きで、「いずれは作家に」とは思っていたものの、いつかできたら、くらいののんびりしたものでした。それで、やってみたら楽しかった。ただ、なかなか厳しい世界だから、そんなに簡単にうまくいくとは思っていなかった。

ダメなら趣味でいい、もし運良く本が出せれば、広告の仕事関係の人に配れてカッコイイかもしれない。そんな不純な動機だったそうです。

日本人は、とにかくこうしないといけないと死ぬ気で頑張ったりする、と石田さんは語っていました。でも、逃げていいいと。**仕事が合わない、会社が気に入らないと思うなら、どんどん移ればいい。**

その結果として自分に合うものが見つかるかもしれない。特に20代の10年間は大事で、ここで一生をかける仕事は何かを考えたほうがいい。いろんな経験をすることのほうが大切。それは30代以降に必ずつながる。

こうしないといけない、こうであらねばいけないという風潮が、人生をつまらなくしている可能性がある。そんな話も語っていました。その通りにしたからと、幸せが待っているわけではない。もっと肩の力を抜いて考えてもいいということです。

今が苦しいと思っている人も多いかもしれません。でも、自分の弱さや不完全さを後ろ向きに捉えないほうがいいと語られていました。誰かの心を強烈に惹きつける魅力は、実は多くの場合、弱さや不完全さの中に潜んでいるから。そして、人の心にはサイクルがある。同じ状況が永遠に続くことはないのだ、と。

孫正義さんが色紙に書く言葉は「志高く」

多くの人にキャリアヒストリーを聞いていて、うまくいっている人には共通点があることに気づきました。それは、「どんな仕事をしたいか」というよりも、**「どう生きたいのか」という思いがしっかり確立されている**印象があったことです。

仕事選びや会社選びの上位概念、と言ってもいいかもしれません。考えてみたら当たり前で、本来は「どう生きたいのか」を実現させるために、仕事や会社はあるわけです。そうでなければ、仕事や会社に人生を委ねてしまうようなことになりかねません。

あくせくと成長を目指すのか、あるいはゆったりと人生を楽しみたいのか。海外でバリバリやりたいのか、故郷に帰って働きたいのか。大きく稼ぎたいのか、そこそこでいいのか。そういった「どう生きたいのか」もありますが、それは意識を内向きにしたときの発想。内側の上位概念です。

意識を外に向けると、概念は違う角度から見えてきます。言ってみれば、外側の上位概念。それが、**「どう世の中の役に立ちたいのか」**です。そして、うまくいく人は、内側だけでなく、外側にも上位概念がしっかりあるのだと思います。

とても印象に残っているのが、ソフトバンク創業者、**孫正義**さんへの取材です。恩師である、経営学者の**野田一夫**さんとの対談でした。野田さんは、創業間もない時代の孫さんやパソナの南部靖之さんなどを支援していた人でした。

あるとき野田さんは、孫さんと南部さんにこんな話をしたそうです。

「君たちは、夢と志の違いがわかるか」

そして野田さんは、その違いについて孫さんに語ったのです。

「夢というのは、漠然とした個人の願望だ。車を買いたい、家を持ちたいといった夢はみんな、個々人の未来への願望。でも、その個々人の願望を遥かに超えて、多くの人々の夢、多くの人々の願望を叶えてやろうじゃないかという気概を志と言うんだ。夢は快い願望だが、志は厳しい未来への挑戦だ。だから、志と夢ではまったく次元が違うぞ。夢を追うなんて程度の男になってはいかん。志を高く持て」

孫さんは、この言葉に衝撃を受けたそうです。これが、ベンチャー企業のスケールを遥かに超えて、ソフトバンクが爆発的な急成長を遂げた原動力になったことは大いに想像できます。大きな志があったからこそ、多くの仲間が吸い寄せられるようにソフトバンクに集まったことも。

孫さんは、サインを求められると、色紙に唯一書く言葉があると語っていました。それが「志高く」。

高い志があるからこそ、今なお孫さんはチャレンジをし続けているのです。

志とはつまり、どう世の中に役に立っていきたいのか、ということに他なりません。どんな仕事をするのか、の前に、何のために仕事をするのか、どんな人生を追い求めるのか、それを問うてみるべきだ、ということです。

先にも触れているように、仕事とは誰かの役に立つためにあります。自分のやりがいのためにあるわけではない。やりがいがあっても、誰の役にも立てないなら、それは仕事と言えるでしょうか。やっていて、本当に楽しいでしょうか。

志とはつまり自分が担う仕事を飛び越えた先にある、「誰にどんなふうに喜んでもらいたいのか」ということです。

私には失業経験があります。そのとき、何がショックだったのかというと、失業したことそのものよりも、誰にも必要とされていない、ということでした。所属する会社もない。社会との接点がない。

仕事がないとは、誰の役にも立てないのだということに、そのとき気づいたのでした。それは、大きな衝撃でした。社会とつながり、**誰かの役に立てて、「ありがとう」と言ってもらえることが、いかに大事なことか**、肌で知ったのです。

後に、たくさんの人々に取材し、やがて私は確信することになります。人生で最も大きな喜びは、お金やモノを手に入れることなどではなく、誰かの役に立てることなのではないか、と。「ありがとう」と言ってもらえることです。

どれだけ「ありがとう」の言葉をもらえるか、です。それだけ、役に立てているということだから。必要とされているということだからです。

超資産家が、なぜ今も働き続けるのか

人生を何十回も過ごせるほどの巨額の資産を持っている経営者がいます。しかし、彼らはもう仕事をしなくてもいいのに、引退しません。それどころか、今なお誰よりも働いていたりする。

もっと資産が欲しい、名声が欲しい、といった動機は、もはやさすがにないでしょう。フロリダやハワイで、のんびり何も考えずに余生を送ってもいいのです。しかし、そんなことはしない。なぜなら、そこには「ありがとう」がないからだと私は思っています。

彼らが今なお仕事を続けるのは、仕事に大きな醍醐味があるから。その一つが、誰かの役に立って「ありがとう」を言ってもらえることだと私は思っています。それを大きくすることこそ、彼らの人生最大の喜びなのだと思うのです。

実際、事業や会社が大きくなれば、それだけ「ありがとう」を言ってもらえる人数も増える。大きな影響力を持てれば持てるほど、もっと言えば世の中を良い方向に変えていくことこそ、大きな「ありがとう」を手にすることにつながる。

これは、どんな人も同じだと思います。

実は、すべての仕事は、誰かから「ありがとう」を言われているはずなのです。しかし、それは必ずしもダイレクトに受け取れるわけではない。だから、いかにそこに気づけるか。感じ取れるか。感謝を、受け止めることができるか、が問われるのです。

自分の仕事に対する感謝を想像できる力は、仕事へのモチベーションを大きく左右します。それは、結果にもつながります。たとえ、どんな仕事をしていても、**「ありがとう」を言ってくれている人がいる。そのことに、気づくこと**です。

あなたの仕事に感謝している人は、誰でしょうか。具体的にイメージができていますか。そこから、どう「ありがとう」が広がっていくか、理解できていますか。それをどう大きくできるか、考えていますか。

スポーツ選手にもたくさん取材していますが、超一流の選手の視点も志に似ています。もちろん自分のためにもプレーしている。しかし、超一流の選手ほど、チームのため、ファンのため、日本のため、アジアのため、サッカー界のため、といった言葉が飛び出す。自分のプレーの先を見ている。志のスケールが違うのです。

だから、もちろんレギュラーとして試合には出たいが、最も大事なことは勝利であり、喜んでもらえることと捉える。レギュラーに選ばれようが、選ばれまいが、自分にできることをする。そんな意識を持っているのです。

実のところ、レギュラーになれるかは運やタイミングも大きい。監督の戦略もあるし、選手層のバランスもある。自分のことだけで世界は動いているわけではないことを、彼らはよく知っています。それでも、誰かのため、となると大きなパワーが生まれるのです。

だから、「どう生きたいのか」なのです。志です。**どんな人の、どんな役に立ちたいのか。どんな人に、ありがとうを言ってもらいたいか。**それは「自分のため」から離れる、一つの方法でもあります。

おぼろげでもいい。どんな生き方をしたいのか、誰にどんなふうに喜んでもらいたいのか、自分の人生をイメージしておくことです。

第4章のまとめ

- ベンチャーより、100名規模の小さなメーカーから始めれば、仕事のすべてが見られる
- みんなが危ないという場所にこそ、野イチゴはたくさんある
- 行動すればするほど、偶然や縁が起きる可能性が高まる
- しっかりアンテナを立てて、タネをポケットに入れておけば、偶然を転機として活かすことができる
- 誰かの役に立てて、「ありがとう」と言ってもらえることが、いかに大事なことか

第5章

元広告制作者が教える採用広告の見方

世の中にはいろんな人がいて、いろんな仕事を探している

仕事選び、会社選びでよくお目にかかるもの、といえば、採用広告やウェブサイト、パンフレットなどの採用ツールがあります。本章では、こうした採用ツールをどう見ればいいのか、どう使えばいいのか、について語っていきたいと思います。

というのも、実は私の書く仕事のキャリアのスタートは、そうした採用ツールの制作の仕事から始まっていたからです。制作者がどうやって採用ツールを作っていたか、どう使ってもらいたいと思っていたか、よくわかっているのです。

私がリクルートで広告制作の仕事を始めたのは、１９９０年。当時はまだインターネットはなく、紙のメディアが主体でした。募集広告をずらりと掲載した情報誌や、紙のパンフレットやリーフレットなどです。

ずいぶん昔の話ですが、採用ツールに関する考え方は、昔も今も変わっていないと思い

ます。実際、アウトプットされているものを見ると、ほとんど変わっていない。紙がウェブ中心になった、ということくらいでしょうか。

私が最初に携わったのは、中途採用の情報誌でした。まだバブルの名残があった時代で、ほとんどが採用広告で埋められたA4版の週刊の就職情報誌は、厚さが3センチほどもありました。

掲載される広告は、巻頭にずらりと並んだカラーの広告に始まり、モノクロの見開きページ、片面1ページ、2分の1ページ、4分の1ページ、8分の1ページなど、大小さまざまで、もちろんそれぞれ広告掲載費用が異なります。

巻頭のカラー広告に出る著名な企業の採用広告もあれば、モノクロ8分の1ページの無名の企業の採用広告もあります。面白いと思ったのは、後者でもしっかり応募が集まってきていた、ということです。

もちろん、中には応募がゼロという採用広告もあり、これは制作者としては絶対にやってはいけないことでした。企業は費用を出して広告を掲載しています。どうすれば、読者とマッチングができるか、制作者はそれを必死で考える必要があったのです。

制作の経験が浅いうちは当然、掲載費用の安い小さな広告の制作から始まることになるわけですが、考えてみれば大きな広告よりも、小さな広告のほうが募集の難易度は高い。その意味では、良い経験をさせてもらえたと思います。

週刊誌ですから、翌週にはもう、作った採用広告で何件の応募があったかがわかってしまうのです。ですから、応募ゼロには絶対にしてはいけない、と緊張感もひとしおでした。そんなふうに慎重に文章と向き合うことになったのは、後の書くキャリアでも大きな意味を持ちました。読んでもらえるものを作っていかないといけない、という意識を強く持つようになったからです。

面白いことに、そうした小さな広告でも、小さな会社の採用でも、ちゃんと広告を作れば、ちゃんと応募があるのです。最初に作った広告は、市場で働く事務スタッフの募集広告だったと記憶しています。

先輩ディレクターのアドバイスのもと、朝が早いけれど、昼過ぎには仕事が終わる。そんなことをメッセージしました。

世の中にはいろんな人がいて、いろんな趣向があり、いろんなことを求めて仕事を探している。それを痛切に教わったのが、採用広告の制作の仕事でした。

偶然で仕事を選んでいる人が多かった事実

厚さ3センチの情報誌に広告がぎっしり。それこそ数百社どころか、当時は1000社以上の募集広告が掲載されていたと思います。それを読者はどうやって見ていたのか。もちろん一社一社、じっくり眺めて検討をしていたとは、とても思えません。そんなことは、物理的に不可能です。とても時間がない。かといって、企業名で選べるような広告はほとんどない。多くは名前がよく知られていない企業の募集なのです。

営業特集、建設会社特集など、仕事や業界に区切った特集も時にはありましたが、多くの読者はおそらくパラパラとページをめくっていたら、「ん?」という広告があり、目が留まって読み進めていき、関心を持ったら問い合わせをする、というアクションだったのではと思います。

考えてみれば、すごい話です。分厚い情報誌の膨大な量の広告の中から、数社だけを見つけて、応募するのです。もちろん見たこともない、名前を聞いたこともない会社。まさしく、ほとんど偶然だったのではないでしょうか。

たまたまその週に発売された号に掲載されていた広告一つで、仕事や会社を決めていた。そうやって転職していた人が、たくさんいたのです。

しかも、大きなスペースの広告だけが、目が留まる対象になるわけではありません。モノクロ8分の1ページの広告に目が留まってしまう人もいる。まさに偶然の出会いというか、奇跡的な出会い、と言えたのかもしれません。

一方で、その方法がある意味、現実的でもあると思ったのは、**世の中には途方もない数の会社があり、途方もない数の仕事がある中で、そのすべてを精査して会社や仕事を選ぶことなど、絶対に無理**だったからです。

実際、就職情報誌は翌週も発売され、今度はまったく違う会社の採用広告がずらりと並ぶことになります。

だったら、たまたま買った今週の情報誌で、掲載された採用広告から思い切って選んでみよう。まさにこれも、偶然に委ねてみる、ということだったのではないかと思うのです。

もっと言うと、実は転職する気なんてさらさらなかったのに、たまたま同僚が飲み屋に忘れていった情報誌を帰りの電車の中でパラパラめくっていて、気になる会社と出会ってしまって転職してしまった、という人もいました。偶然を通り越して、運命的なものまで感じてしまいます。

後に、バブル崩壊とともに求人件数がどんどん減っていき、さらにインターネットの勃興によって、採用広告がぎっしり掲載された紙の情報誌はコスト面でも厳しくなり衰退、やがて休刊になっていきます。

これも時代の趨勢(すうせい)、と思いながらも、パラパラとめくってたまたま出会う、という偶然の妙がなくなったことはとても残念だな、と私は感じていました。もちろんインターネットでの採用にも偶然はあるかもしれませんが。

しかし、パラパラとめくるような一覧性はなかなかインターネットではできない。むしろ、検索性を高くして膨大な量の採用から、候補のセグメントをしてくれるのがインターネットです。これはむしろ、偶然性を下げてしまうと感じました。

採用ツールは会社をかなり表している

偶然の魅力と書きましたが、応募者を獲得しなければいけない制作者はもちろん、偶然に期待するわけにはいきません。どうすれば応募者、しかも企業が求める応募者が応募してくれるような広告が作れるかを、必死で考えることになります。

何より、募集広告を出す企業に見合った人材が、パッと目を留めるような広告を作ることが必要になる。

そのために、企業に取材に出向くことが有効でした。どんな人材を求めているのか、詳しく聞きに行くのです。中小、中堅規模の会社では多くの場合、社長が出てきますが、場合によっては社員にも取材させてもらいました。

つまりは、どんな仲間に来てもらえるといいのか。その仲間になるかもしれない人には、この会社のどんな魅力をアピールしてあげればいいのか。そんなふうにターゲットを明確にし、メッセージする内容の優先順位をつけていくのです。

どんな人に来てほしいかを洗い出し、来てほしい人にとっての魅力を探し出し、それを採用広告として設計する。さらに広告の作り方には、いろいろな方法がありました。写真を使って実際の会社を見てもらう。社長に登場してもらって語りかけてもらう。イラストで魅力とともに会社の雰囲気を伝える……。

大事なことは、来てほしい人にとって会社の魅力が伝わること。どんな会社なのかを、少しでもイメージしてもらえるようにすること。

後に私は中途採用の広告だけでなく、新卒採用の広告も作っていくことになりますが、考え方は同じでした。

新卒採用でも、**企業には「こんな人材が欲しい」という求める人物のイメージがあります**。そういう人たちに反応してもらうために、キャッチフレーズを作ったり、ビジュアルを選んだりしているということです。

これは偶然も含めてですが、採用広告やリクルーティングページ、パンフレットや採用関連のツールについて、「ん？」と気になったということは、そのターゲットに近い、ということに他なりません。

もっと言えば、広告は間違いなく会社を表しています。というのも、採用ツールが大がかりなものになるほど、会社側もツールに大きくコミットするからです。こんなふうにしてほしい、こんな色を使ってほしい、こんな雰囲気にしてほしい、など要望もたくさん飛んできます。

自分たちの会社に合った人材を迎えたいわけですから、自分たちを広告で出そうとする。そして制作者も、採用ツールで企業を表そうとする。つまり、採用ツールは会社をかなり表しているということです。

それこそパッと見ただけで、「合う、合わない」の判断材料に間違いなくなります。かつて紙の情報誌で偶然、見つけられたのは、「合う」会社を無意識に探していた、ともいえるのだと思います。

パッと見て、「合う、合わない」を直感的に判断することは、あながち間違っていない、ということです。

最も優秀な人間は採用担当者に就ける

リクルートで仕事をしていた5年半のうち、前半は主として首都圏の中小、中堅企業をクライアントに中途採用の広告を作っていました。後半は、大企業をクライアントにする部署に異動し、大企業の中途採用広告、さらには新卒の採用広告やパンフレットなども作るようになりました。

振り返れば、当時は携帯電話の勃興期。今では当たり前の携帯電話ですが、当時はまだ海の物とも山の物ともわからない業界でした。そんな時代に、採用の広告で意を決して飛び込んだ人たちは今、各社の幹部クラスになっているのでは、と思います。

例えば、ＫＤＤＩの社長、**髙橋誠**さん。理系就職が引く手あまただった時代に、髙橋さんはベンチャー企業の代表格だった京セラに入社します。配属を考えるにあたり、各事業部がレクチャーをしてくれたのだそうです。その一つが、電気通信事業でした。

通信の自由化に挑むべく、京セラはＫＤＤＩの前身となる第二電電を設立するのですが、髙橋さんはそこに手を挙げたのです。始まりは20人ほど。世界的なセラミックの会社に入社したつもりが、名もない小さなスタートアップ企業の一員になってしまったのでした。

クレジットカードを作ろうにも、審査が通らずに苦労したのだそうです。しかし、このリスクを取ったことが、事業の急成長、そしてＫＤＤＩ社長就任につながるのです。

私は後にフリーランスになりますが、しばらく仕事の中心は採用広告の制作でした。バブル崩壊後の金融危機など、日本経済が最も厳しかったと言っても過言ではない時代。大手銀行、大手生保、大手損保、さらには日本を代表するメーカーなど、さまざまな業界の採用広告に携わることになりました。

一方で、インターネットの登場からベンチャーブームと、産業構造がうねりをあげて変わっていく姿も垣間見ることになりました。ここでも、携帯電話以上に海の物とも山の物ともわからなかったインターネット産業に、思い切って飛び込んでいった人たちが、後に大きな果実を手にしていくことになります。

ソフトバンクや楽天、サイバーエージェントやファーストリテイリングといった会社も、当時はまだまだ知名度も高くない小さな会社でした。しかし、それでも勇気を持って選んだ人たちがいたのです。

たくさんの採用に関わっていて感じたのは、**採用に力を入れている会社は、やはり伸びる**、ということでした。それを最も知っていたのは、自ら人材ビジネスを手がけていたリクルートだったのだと思います。

私が仕事をしていた当時、よく耳にしたのは、最も優秀な人間は採用担当者に就ける、というエピソードでした。売り上げを獲得する営業ではなく、経営企画のような戦略作りでもなく、採用の仕事をさせるのです。だからこそ、優秀な人間が採用できる、というわけです。

採用に力を入れていた会社に共通していたのは、しっかり費用をかけていたことです。それは、採用ツールだけでもわかります。**どのくらい充実したものを作っているか。どのくらい真剣に作っているか。どのくらい懸命に自分たちを伝えようとしているか。採用に対する本気度は、採用ツールからも見えてくる**のです。

本気の会社は、採用ツールの重要性もよく知っています。だから、熱心に作ろうとする。制作者側の提案にも耳を傾けてくれる。より良いものを作るために、どうすればいいのか、懸命に考えている。

この会社は、どのくらい採用に本気か。そんな目線で、採用ツールを眺めてみるといいと思います。

ターゲットなら、キーワードやフレーズに反応する

リクルーティングページであれ、パンフレットであれ、広告ページであれ、採用広告の制作者が考えるのは、クライアントとの打ち合わせで定めたターゲットに確実にメッセージが届くこと。目に留めてもらえること。興味を持ってもらい、応募につなげることです。

最もわかりやすい手法は、求める人材を象徴するようなキーワードやフレーズを置いたり、雰囲気を醸し出したりすることでしょうか。会社によってターゲットはさまざま、年によっても変わっていきます。

例えば、挑戦のような言葉を前面に押し出す会社もあるでしょう。あるいは、誠実さを

打ち出す会社もあるかもしれない。スピード、効率、生産性、成長といったキーワードを掲げる会社もあれば、支える、守る、正確といったキーワードを掲げる会社もあります。近年なら、ＳＤＧｓやダイバーシティ、インクルージョンといった言葉を打ち出す会社もあります。

使われる言葉やフレーズ、醸し出す雰囲気は、求めている人材や目指そうとしている会社の姿そのものだと言えます。

実際、変化が激しくイノベーティブな仕事が求められるインターネットビジネスと、正確にダイヤを刻む鉄道事業では、求められる仕事はまるで違います。成長著しい国際的な半導体ビジネスと、大きな変革期にあるドメスティックな銀行も違う。社員数十人のベンチャーと、数十万人を擁する巨大メーカーも違う。

制作者は、その会社におけるどんな言葉が、ターゲットとなる人材に届くのかを考え、設計していきます。それが、エッジの立ったものになればなるほど、ターゲットにも届きやすくなる。しかも、会社の姿、会社が求めることをできるだけ正しい形で届けられるようになるのです。

ところが、広告というのは、クライアントの了承があってこそ、制作を進められるものです。制作者がどんなに考え、これがベストだと思っても、クライアントが良いと思わなければ世に出ることはありません。

若い担当者、さらには課長レベルまでゴーサインが出ても、部長レベルで却下されることもある。時には、役員や社長の判断でノーになることもある。

場合によっては、クライアントによる修正が行われたりします。それによって、より良いものになることもなくはないのですが、時には残念なものになることがあります。せっかくの広告設計がぶちこわしになることも。さらには、若者ウケの良さそうな内容に差し替えてしまう会社すらある。

採用ツールを眺めていて、**「どうにも美しい言葉ばかりが並んでいるな」「当たり障りのないことばかりが書かれているな」「なんだか面白くないな」と思われたら、それはかなりの確率でクライアントによる修正が入ったものだと思います。**

しかも多くの場合、現場を知らない役職クラスによるケースが多い。だから、残念なものになる。さらに残念なことは、これを世に送り出す判断を会社としてしてしまった、という事実です。若い社員が見たら、間違いなく違和感を持ったはずだから。

つまり、自浄作用がないということ。これだけで一刀両断するつもりはありませんが、

あまり共感できないような、美しい言葉ばかりを並べた採用ツールを作っている会社は要注意だと思います。しっかりと自分の感覚で、本当の会社の姿を確認したほうがいい。

若い人が見て、なんとも違和感が残るようなツールも同様。残念な状況が起きてしまうような文化や体質を持った会社である可能性があるからです。

ネガティブな情報も、採用ツールに書く会社

逆に、「うわ、こんなことやるんだ」「大胆なチャレンジだなぁ」「初めてこんなの見た」と思えるような採用ツールを作っている会社は、そうしたことができる文化を持った会社だと見ていいと思います。

つまり、リクルーティングページやパンフレット、もっと言えば採用戦略そのものに、会社のカラーが如実に表れるということです。

思い切ったアグレッシブなことをやっている会社は、そういう雰囲気が間違いなくある。

逆に、採用ツールがなんだか保守的に見える会社は、そういうカルチャーだと思っていい。こういうところにも、知らず知らずに社風が出てしまうのです。

実際のところ、細かな企画を提案するのは制作者です。しかし、そういう企画を出させようとするのは、会社側。新しいことを受け入れないと思える会社に、ターゲットが変わらない限り、制作者はわざわざ思い切ったチャレンジはしません。

また、制作者は自分が感じたその会社をできるだけ表現しようとします。なぜなら、ターゲットにそれを知ってほしいから。できるだけ、良いマッチングをしたいから。制作者が作るといっても、やはり制作物には如実にその会社が出るのです。

わざわざ会社に行かなくても、採用ツールから醸し出されるものから、会社を感じ取ることができるのだということです。

そもそもリクルーティングのページを懐疑的に見ている人もいることでしょう。結局、良いことしか書かれていないのではないか、と。もちろん、広告ですから、良い面を見せて、良い面を知ってもらって、入社の動機になるよう努める。良いことを書こうとするのは、当然のことだと思います。

学生や若い人には、あえて知ってほしくない現実もないわけではない。ならば、わざわざ出す必要もないではないか、というわけです。これには一理あって、ネガティブな要素で応募にマイナスになっては、人に来てほしいという目的に合致しないことになります。

しかし、採用に本気の会社はその上を行く、ということもぜひ知っておいてほしいと思います。もしかすると応募者にはマイナスと思われてしまうかもしれない情報、ネガティブな情報も、採用ツールに書いてしまう会社もあるのです。

私自身、そうした制作物を手がけたことがあります。今はもう変わっていると思いますが、かつて証券業界では飛び込み的な営業が行われていた時代がありました。しかし、厳しいと思えるその内容を採用ツールに書いている会社はほぼなかった。

ところが、ある大手証券会社が、サブツールとして飛び込み営業を前面に打ち出したパンフレットを作りたいと考えたのです。すでにフリーランスになっていましたが、コピーライターとして担当した私は、40代から50代の3人の支店長に若い頃の厳しい営業の話を聞き、それを原稿にしました。

厳しい仕事ですが、一方で得られる成長や醍醐味もあります。それをそのまま知ってもらい、わかった上で来てほしい、としたのです。なんと表紙は戸建て住宅の玄関先に貼られていたりする「セールスお断り」のプレートの写真でした。

学生にとっては、びっくりするような内容だったと思います。もしかすると隠したくなるような話まで書いたツール。ところが大きな反響を得て、その年の採用はとてもうまくいったという話を聞きました。

入社したら、どんなことが起こるのか、わかっているわけですから、覚悟もある。採用された人たちにとっても、良かったと思いました。

採用ツールにマイナス情報が書かれていたら、それは本気の証。もちろん諸刃の剣ですが、これもまた会社のカルチャーを知る、一つの大きなヒントだと思います。

社員の写真から見えてくるものがある

リクルーティングサイトなどの採用ツールは多くの場合、会社発信の事業に関する情報や採用に関わるメッセージと、トップインタビュー、社員インタビューなどから構成されています。

もちろん会社発信の情報も事業などを理解する上では役に立ちますが、やはりしっかりチェックしたほうがいいと思うのは、社長や社員が登場するページです。

写真だけでも見えてくるものがある。働いているのは、どんな人なのか。どんな雰囲気を持っているのか。どんな服装をしているか。どんな表情をしているか。これだけでも、自分に合うか、合わないかの大きなヒントになります。

社長や役員が登場しているのであれば、トップがどんな人なのかもわかる。顔つきだけでも、見えてくるものがあります。表情がどんなものか、が会社のカルチャーを表していることもある。笑顔なのか、キリッとしているのか。

トップがメッセージでどんな内容を発信しているか、にも要注目です。先に会社のキーワードについて触れていますが、会社を知ってもらうために、どんなキーワードを繰り出してくるか。トップの発信ですから、会社としても最も慎重に作っているのです。

どんな人を求めているのか。どんな人と一緒に働きたいのか。そのヒントが、間違いなくちりばめられているはずです。

トップメッセージで見たいのは、会社が何を目指しているのか、です。パーパスや理念といった抽象的なものも大切ですが、トップが何をしたいのかをはっきり語れているかどうかも見たい。

会社が何を目指そうとしているのか、そこに共感できるかは、働く上でのモチベーションに大きく影響してきます。何を目指しているのかわからないような状況では、頑張ることは難しい。ここはしっかりチェックしておきたいところです。

それこそ採用ページで会社についてを語れないようであれば、社内でうまく語れているとは思えない。目指すべきところを社内で共有できていない可能性もあります。

一方で、**当たり障りのない内容で、何も引っ掛かるものがない、というトップメッセージはかなり心配です。**具体的なことは語らない、語れないカルチャーなのか、と勘ぐってしまっていい。いろいろ想像してみるといいと思います。

社員のインタビューにも、ぜひ着目してほしいところです。端的に、この人と一緒に仕事をしたいと直感的に思えるか。それこそ服装一つでも見えてきます。一口にカジュアルなファッションと言っても、本当に幅広いものがある。どんなファッションに身を包んでいるのかも、大きなヒントです。

会社によっては、いろんな職種の人たちが登場しているケースも多いですが、どの職種の人たちが、どんな様子なのかも要チェックだと思います。特に大きな会社では、職種によって働いている職場や人の雰囲気がまったく違っていたりします。

自分はどの職種が合うのか、載っている写真から直感的にイメージしてみる。そんな使い方もあります。

インタビュー原稿は、私もかつてよく書いていましたが、1時間ほど聞いた内容をコンパクトにまとめたものが多い。仕事の内容やその面白さ、働きやすさ、事業や会社の魅力などなど。それぞれの社員の目線で見た会社の姿が見えてきます。すべて読むのが大変なら、ついているタイトルや小見出しを見るだけでもいいと思います。

キャリアステップが書かれている親切

採用ツールの制作には、10年ほど前まで携わっていました。私は経営トップや著名人の取材をたくさんしていましたが、若い社員にインタビューさせてもらえる機会というのは、実はなかなかありませんでした。世の中を知る上でも貴重な場とさせてもらいました。

今、リクルーティングページなどの採用ツールがどんなトレンドになっているのか、しっかり把握はできていませんが、当時、感じていたのは、将来に関わるコンテンツが少ないな、という思いでした。

社員登場のインタビューでも、入社数年の社員が出てくることが多かった。とりわけ学生向けとなると、そのほうが親しみやすいから、という思いもあったのでしょう。しかし、私はもっと年次の上の人たちがたくさん出てくるべきだと思っていました。

入社数年の先輩社員と、20年目の社員では、持っている情報がまるで違います。会社に対する見方もより客観的になっているでしょうし、仕事に関しても深いところが語れる。

先にマイナス情報と思えるものも含めて証券会社の支店長にインタビューした話を書きましたが、さすが支店長クラス、入社二十数年クラスになると、仕事のエピソードも豊富で、奥深い話を聞くことができるのです。どうして他の会社も、そういうことをやらないのか、と思っていたのでした。

多くの人が知りたいことの一つは、自分の未来の姿です。もちろん、数年後に先輩のようになっている、という姿も知りたい内容かもしれませんが、もっと先にも未来はある。この会社に入ると、どんなキャリアステップを踏むことになるのか、どんな未来が待ち構えているのか、もっともっと見せるべきだと思っていたのでした。そのために、30代、40代、50代の社員も登場する。そうすることで、よりイメージがしやすくなる。

もしかすると今は、そういうところまで踏み込んだ採用ツールも増えてきているかもしれません。それは、会社の姿勢としても、とてもポジティブだと思います。

今やダイバーシティの時代。**中途採用、キャリア採用の社員も含めて、いろんなキャリアの持ち主がインタビューに登場していたりすると、好感度は高い**のではないでしょうか。こういうところからも、会社の文化や風土が見えてきます。

女性の社員が、どのくらい活躍しているか。そういうところも、しっかり意識して、コンテンツを出せているかどうか。会社は人が財産です。その採用において、そういうところが意識されていないとなると、これは心配です。

これはリクルーティングページには掲載されていないかもしれませんが、**役員の経歴もチェックしてみるべきでしょう。どんな人が出世しているのか。生え抜きか。そうでないか。どちらが多いか。男女比はどうか。年齢はどうか。**

ある伝統的な企業では、中途採用の出身者が社長に就任していました。今も成長し続けている会社ですが、象徴的なエピソードだと思いました。

ツールのイメージに合わないなら、やめたほうがいい

リクルーティングページのトップメッセージは、多くの場合、制作者が経営者にインタビューをして作っていました。それを提出し、確認してもらって、掲載の運びになります。さすが経営者、面白いインタビューが多かった。

大企業トップにもたくさん取材をしましたが、やはり印象に残っているのは、中堅中小企業のトップや、ベンチャー企業のトップです。自分で会社を動かしているという思いが強いだけに、熱い経営者が少なくありませんでした。

その意味では、中堅中小企業やベンチャー企業では、トップが会社を体現していることがとても多いと考えていいと思います。トップの求心力で、会社が動いている。トップの魅力に惹かれて、社員が集まってきている。

トップの影響力が大きく、トップが会社の文化や風土を作っている。トップの考え方が、

仕事のやり方を定めている。徹底的に自由な会社もあれば、逆にかなりトップダウンの会社もある。本当にトップ次第で会社がまったく違うのです。

ですから、とりわけ**中小規模の会社を選ぶ際には、絶対に社長に会ったほうがいい**と思います。社長にじかに会い、印象を確かめたほうがいい。どんなことを考え、どんなことを目指しているのか、理解したほうがいい。

このことをわかっている社長は、自ら積極的に表に出てきます。会社説明会で、社長が自ら登壇するケースも多い。そして、熱く語って心をつかみ、多くの応募者を獲得することも少なくありません。

知名度のない会社では、社長の登場は大きなインパクトになるようです。中には、自身の就活の話をしたり、アドバイスをしたり。すると口コミで噂になり、後に人気ランキングに名前が出るような会社になった実例も知っています。

そして学生も、たまたま説明会に出席したことで、無名の会社への入社を決める。これもまた偶然やご縁、ということになるでしょう。たった一度の機会で、この人についていきたい、と思える人に出会えることは、とても幸運なことだと思います。

一方で、社長の話を聞いた学生の全員が、「この会社に行きたい」「この人についていきたい」と思ったわけではないと思います。ここが大事なところです。やはり、「合う、合わない」は間違いなくあるからです。

合う人もいるかもしれないけれど、合わない人もいる。合わないと思ったのに、もし入ってしまうようなことになると、あまり快適な日常は待っていない気がします。中堅中小企業のトップの影響力はそれだけ大きいからです。「合わない」という直感は、大事にしたほうがいい。

これは、広告全般、採用ツール全般に言えることです。細かな内容の前に、採用ツールのイメージがなんとなく自分に合わない、と思ったら、やめたほうがいいということです。それは「合わない」証です。

制作ツールのキーカラーがあまり自分が好きな色ではない、ということでもいい。ヒントはたくさん転がっています。それを敏感にキャッチすること。考える前に、直感的に捉えること。

何より**「合う、合わない」に気づけるのが、採用ツール**なのです。

第5章のまとめ

- 美しい言葉ばかりを並べた採用ツールを作っている会社は要注意
- 採用ツールにマイナス情報が書かれていたら、それは本気の証
- 当たり障りのない内容で、何も引っ掛かるものがないトップメッセージはかなり心配
- 役員の経歴もチェックしてみる
- 中小規模の会社を選ぶ際には、絶対に社長に会ったほうがいい

第6章

入ってからが、すべての勝負

アルバイト先の先輩から誘われて就職

偶然やご縁や直感のほうが大事なのではないか。一見、ネガティブに見えたことが、実はポジティブなことだったのではないか。

たくさんの成功者のインタビューを通じて、次第にこんなふうに思うようになった私ですが、実は自身にも実体験があったのでした。こうして本を書いている私ですが、自分の未来がこんなことになっているなんて、夢にも思っていなかったからです。

多くの成功者への取材で、たくさんの学びを得ました。なんとも垂涎のアドバイスもいただきながら、私は想像もしていなかった未来を得ることができたのでした。

そもそも私の仕事選び・会社選びは、失敗から始まっていました。先にも書いていますが、大手広告代理店かテレビ局に行こうとしていたものの、就活ではあっさりと玉砕。たまたまアルバイト先の先輩から誘われて、アパレルメーカーに就職したのです。

もともと洋服は好きでしたし、何より誘ってくれた一つ上の先輩とはとてもウマが合い、アルバイト先も同じで、長く可愛がってくれた人でした。その人が選んで入っていた会社だっただけに、合うかもしれないな、と思ったのです。

実際、面接の印象も会社の雰囲気も良かった。あっさりと内定が出て、同期ともすぐに親しくなり、30年以上経った今でも付き合いがあるほどです。

行きたかった会社は他にあったけれど、これも何かのご縁。何より、会社が自分を選んでくれた。そういう見えない力に従ってみるのもいいのではないか。大学の就職課のファイルに、そんな感想を書き込んだことを覚えています。

しかし、入社して一つ残念だったのは、最も行きたくなかったブランドに配属になってしまったことです。

私は大学時代、音楽サークルでバンドをやっていたりして、かなりゆるい日常を送っていたのですが、配属になったのは、ほとんどが体育会系出身者ばかりと言ってもいい部署。その空気になかなか馴染めませんでした。

そして入社2年目、たまたま開いた朝日新聞の日曜日の求人欄で、リクルートが作った新会社が広告制作者を募集している求人広告を見つけてしまいます。それまで求人欄なんか見たこともなかったのに、その日に限って見たら、小さな広告が出ていたのです。まさに偶然でした。

そして採用試験を受けたら、内定をもらってしまった。結局、最初のアパレルメーカーは1年半で退職することになってしまいました。

周囲からは猛反対を受けました。まだ会社の何たるかもわかっていないのに。せっかく入った会社を辞めるのはもったいない。次々に会社を辞めるようなジョブホッパーになるぞ……。

実のところ、申し訳ない気持ちもありました。短い期間とはいえ、一生懸命に仕事を教えてくださった人たちも多かった。最初に「辞めたい」と相談したのは、行きたかった別のコレクションブランドへの異動がすでに決まっていた先輩でした。私が退職してしまうと先輩の異動は取り消しになる可能性が高かった。それでも先輩は、私のチャレンジを応援してくださったのでした。後に、その先輩が早くに亡くなられたことを知りました。なんということをしてしまったのかと悔いつつ、改めて本当に感謝しています。

送別会も開いてもらい、最後は胴上げで送り出してもらったことを今も覚えています。ありがたいことでした。

広告は文章を書く仕事だと思わなかった

もし配属が違うブランドだったら、辞めていなかったかもしれません。その意味で不本意な配属は、私にとっては長い目で見たらプラスに働いた、ということになるのかもしれません。

また、たまたま広告制作会社の募集を見ていなかったら、やはり辞めていない。いろいろな偶然の重なりで、私は退職を選択することになったのでした。

ただ、振り返ってみると、アパレルメーカー、そして体育会系のブランドで過ごしたことは、後に大きな意味を持ちました。

洋服の何たるかを学べただけでなく、洋服を巡るたくさんのマナーを教わりました。そういうことは普通の会社では学べないことを知ったのは、実は次の会社に行ってからでした。体育会の先輩たちのもとで礼儀や言葉遣いを徹底的に鍛えられました。これも後に経営者取材などで活き、本当にありがたい学びでした。

そして広告制作者として転職をすることになるのですが、ここでも大きな偶然が待ち構えていました。先にも少し触れていますが、私はそもそも文章を書くことが嫌いだったのです。ただ、広告制作は言葉を見つける仕事だと思っていました。

ポスターのキャッチフレーズを1本、ズバッと書く。文章を書く仕事のイメージは、まったくありませんでした。

ところが、私が転職先として選んだのは、リクルートの制作子会社でした。そこで手がけることになったのは、採用広告だったのです。商品広告と違い、企業を1行で表すようなことはそうそうできません。私は、苦手だった書くことに向き合わなければならなくなっていくのです。

当初は小さな広告から始まりましたが、200文字のコピーを書くのに、丸1日かかっていたほどです。今では1日2万字書くこともありますから、当時の私からすれば、まさにまったく想像できない未来です（なぜ速く書けるようになったか、後にわかるようになり、それを本にまとめるのですが）。

書くのが嫌いで苦手だったのに、結果的に書かなければいけなくなってしまった。書くのが嫌いだったのに、なぜ辞める選択が浮かばなかったのか。それは、楽しかったからです。

書くことは苦しかった。しかし、読者が知らない世界を私が知り、「こうなんですよ」と教えられることは楽しかった。すでに書いている、仕事の本質です。**書く仕事は、書くことに本質があるのではなく、伝える喜びに本質があった**のです。

当時は気づいていませんでしたが、この仕事の本質に知らず知らずのうちにハマっていったのだと思います。だから、辞める選択は浮かばなかった。文章を書くのは苦しかったけれど、仕事はとても楽しかったのです。

一方で、広告制作者ですから、単なる書き手で終わることはできません。クリエイターなのです。その才能があったか、と言われれば、自分の中で疑問が残りました。

実際、リクルート内には社内の広告賞などもあり、20代で華やかな実績を持つクリエイターがたくさんいました。あんなふうになれたらなぁ、という憧れの存在もいました。でも、そんなふうになることはできませんでした。

20代、何もかもうまくいかない暗黒の時代

もう一つ、在職中に忸怩(じくじ)たる思いがあったのは、入社したのが制作専門会社だったことです。労働条件が、裁量労働制だったのです。端的に、残業代がつかない。ですから、同じフロアで隣に座って仕事をしているリクルートの社員と同じようなハードな仕事をしているのに、手取り収入は下手したら半分ほど。この現実は、なかなかに堪えました。

クリエイターとしても実績を出せず、収入も多くないので思うような生活もできない。当時はリクルートの寮に住んでいましたが、まさに私にとってはどん底の時代。あの寮生活は、私の暗黒時代として記憶されています。

折しもサッカーワールドカップの予選で、日本代表の「ドーハの悲劇」を私は夜中に寮の部屋で一人、見ていたのを今も覚えています。27歳のときのことです。

夢破れ、うなだれる代表選手の姿と、私自身が重なりました。どうしてこんなにうまく

いかないのか。この先、自分にまともな未来は待っているのか。あるのは、不安と不満ばかりでした。実際、良いことはほとんどなかった。未来は、恐怖そのものでした。

そんな野心ギラギラの私を見ていたのか、上司が私を次の職場に誘ってくれました。大きくなろうとしているベンチャー企業がある。お前も来ないか、と。私は28歳になっていました。

社長との面接で、誰かが後ろから洋服を引っ張っているような気がしたという奇妙な体験の話は先に書きました。しかし、私は入社してしまうのです。

結果的に会社は3ヵ月で倒産するのですが、その倒産のおかげで今があるので、この転職が失敗だったのか、成功だったのか、実はわかりません。ネガティブな出来事が必ずしもネガティブではない、それは倒産という、どん底でもそうだったのです。

もっとも当時は、そんなふうに思えるはずはありませんでした。職まで失ってしまったのです。若い社員が多かったため、社会保険関係の手続きなどをフォローし終えた7月、改めて自分が失業者に転落したことに気づかされたのでした。引っ越しに貯金も使い果たしていたので、手元のお金は尽きようとしていました。

1994年。その年の夏は暑かった。住んでいた5階の部屋で、エアコンもつけずに窓を開け放ち、真夏の空をぼんやりと眺めていたことを覚えています。人生、終わったな、と思いました。次の就職先を見つけようとする気力も、まったく湧いてきませんでした。

その頃、よく聴いていたのが、坂本龍一さんのアルバム「sweet revenge」でした。今でもこのアルバムの曲を聴くと、当時の光景が浮かび上がってきます。

そして今なお、忘れ得ない思い出もあります。就活で知り合ったメディアに就職していた友人たち男女5人が突然、我が家に押しかけてきたことです。酒とツマミを持ってやってきて、大騒ぎをして帰っていきました。

慰めもない。励ましもない。心配の一言もない。じゃあな、と笑って帰っていった。振り返れば、なんという優しさか、と思います。後に「お前があそこで終わるなんて、誰も思っていなかった」と言われました。今なお、彼らは本当に大切な私の友人たちです。

大学時代の音楽サークルの友人たちも心配してくれました。「ウチの会社の取引先に、こんなアルバイトがあるぞ」と教えてくれた友人もいました。ありがたかった。その申し出は、受けませんでしたが。

というのも、別のアルバイトの話がやってきたからです。

失業して時給850円で苦渋のアルバイト生活

私のお金が尽きかけていることを、前職の同期が職場の上長に伝えてくれていたようでした。すぐに銀座に来い、と電話で言われ、向かった先に待っていたのは、上長が送り込んだリクルートの社員の方でした。

そのまま連れていかれたのは、編集部のフロア。当時、採用広告がずらりと並んだ就職情報誌の広告を作っていたと書きましたが、広告の他に巻頭には編集記事があったのです。その記事を作っている部隊でした。

当時のリクルートでは、退職後、6ヵ月を経なければフリーランスとして仕事ができない決まりになっていました。それまでは時給のアルバイトをせよ、が上長の提案でした。しかし、元いた広告のフロアでは恥ずかしかろう、とビルの異なる編集部で編集長を紹介されたのです。

ずっと広告を作っていた私は、こうして記事を作る編集部との関わりを持つようになったのでした。これまた本当に偶然でした。しかし、アルバイトの内容は、編集アシスタントのアシスタント。アンケートの封書の袋詰めや、発送手配などの雑務です。時給850円。

それまでは、まがりなりにもクリエイターとして仕事をしていたのです。それが雑用ですから、もはやプライドはズタズタ。仕事が終わると隠れるように、当時編集部があったリクルート銀座8丁目ビルを離れていったのを覚えています。

それでも、まじめに仕事はしていました。そうすると、あるとき女性編集長にこう言われたのでした。

「上阪くん、アルバイト期間が終わったら、記事を書いてみない？」

見ている人は、よく見ているのだな、と思いました。一生懸命ちゃんとやっていてよかった、と。こんな雑用をやらせやがって、などと適当な仕事をしていたら、この編集長の言葉はなかったと思います。

退職から半年を過ぎる9月末の時期が来てフリーランスで仕事ができるようになると、本当に仕事のチャンスをもらったのでした。

後に、社員時代にも行っていた広告作りをしながら、このときのご縁で編集記事も作るようになります。その記事を見た他の編集者や別の情報誌からも声がかかり、次々に仕事が広がっていきました。それが、冒頭に書いた情報誌の巻頭の連載インタビューなど、私の運命を大きく変えていく著名人取材の仕事につながっていくのです。

私は今年（２０２４年）、フリーランス30年になりますが、フリーランスになったきっかけは、まさに偶然であり、なし崩しでした。準備をして満を持して、なんてことはまったくない。たまたましょうがなくて、だったのです。展望も目標もありませんでした。

フリーランスで仕事をすることになったとき、一つだけ決めたことがありました。それは、「もう自分のために仕事をするのはやめよう」でした。

先にも書いていますが、**失業したことで知ったのは、世の中から必要とされないという恐怖**でした。何もかも失ったみっともない自分に、それでも仕事を発注してくれる人がいる。これは本当にありがたいことでした。

ならば、その期待にだけ応えよう。**自分がやりたいこととか、こうなりたいとか、一切、考えるのはよそう。目の前の仕事に全力投球しよう……**。以来、必要とされることだけが、私のモチベーションの源泉となりました。

28歳でのこの意識転換を私は「マインド・リセット」と呼んでいます。自分のエゴだけで転職を重ね、うまくいかなかった時代がまるでウソのように、この「マインド・リセット」が私の人生を一変させることになるのです。

自分のために働かなくなったら、得られたもの

「マインド・リセット」とは、端的に何だったたか。これこそまさに内に向いていた意識を、外に向けたことだったのだと思っています。自分のことを考えるのではなく、どうすれば誰かの、あるいは世の中の役に立てるのかを考える。発注者のため、クライアントのため、読者のために仕事をする。

考えてみれば当たり前ですが、**自分のためだけに仕事をしようとしている人と、まわりのために頑張ろうとしている人と、どちらを応援したくなるか。**どちらに仕事をお願いしたくなるか。

当時はそんなことを期待したわけではまったくありませんでしたが、倒産という憂き目に遭い、自分なりに偶然「マインド・リセット」をしたことが、人生に大きな変化をもたらすことになったことは間違いありません。

こうしてどういうわけだか、私は次々に仕事のチャンスをもらうことになっていったのでした。しかも、驚くべきことに実績までついてくるようになった。あれほど欲しかった社内の広告賞に、次々と入賞するようになっていったのです。

欲しいと思って取れなかったものが、欲しいと思わなくなったら取れるようになった。これは驚きでした。

振り返れば、その理由がわかります。会社員時代の私は、もちろん広告効果も考えつつですが、自分のために広告を作っていたのです。賞を取ろうと狙っていた。それは、審査員にはわかるのだと思います。すべてはお見通しだったのです。

フリーになってからは、やりたいことも持ちませんでした。キャリアも未来も何も考えなかった。仕事も選びませんでした。基準はスケジュールのみ。「上阪さん、小さな仕事でごめんね」と言われた仕事も引き受けました。

仕事を選ばなかったおかげで、まわりの人たちが私に次々に仕事を提案してくれたのです。あれができるんじゃないか。これができるんじゃないか。経営トップへの取材もそう。ベンチャートップへのインタビューもそう。著名人への取材もそう。講演も、後に始める塾もそう。

採用広告で金融関連の仕事をたくさんしていると、マネー誌から声がかかりました。さらに、大手広告代理店から外資系金融機関の仕事の依頼がきました。プロジェクトに加わると、クライアントの担当者が転職。プロジェクトメンバーもそのまま移り、担当者から信頼をもらえていた私は、こんな提案を受けます。

「実は社長が本を作ることになったんだけど、上阪さん、書いてくれない？」

私は広告の制作者です。本など書いたことがない。それでも「きっとできると思うよ」と後押ししてくれたのが、その担当者でした。そして、打ち合わせで初めて出版社の編集者に会うことになります。これが、私と出版の出会いになったのでした。

外資系金融機関がライターを連れてきた。驚いた編集者は帰りに私をお茶に誘うと、こう言ったのでした。

「金融に詳しいのね。実は証券会社の副社長の本があるんだけど、それもやってみない？」

こうして私は一度に2冊の本の執筆、今でいうブックライティングをすることになったのです。そしてこの女性が、後に40万部のベストセラーとなった『プロ論。』の編集者になります。

「仕事は選ばない」「自分の運を信じよう」

失業し、フリーランスになって以降の30年間は、まさしく「わらしべ長者」のようでした。一つの仕事が、あるいは一つの出会いが次の仕事に、あるいは出会いにつながり、どんどん仕事が広がり、大きくなっていく。

気づけば私は50冊以上の本を上梓し、１２０冊以上のブックライティングをするようになっていました。かつてはゴーストライターと呼ばれていたブックライティングの仕事をブックライターと名付け、編集者の発案で育成塾「上阪徹のブックライター塾」も開きました。今や門下生は３００名を超えています。

そう考えると、この仕事は私にとても合っていたのだと思います。しかし、30年前に私がこの未来を想像していたかといえば、まったくそんなことはありません。

私がしたことは、**「自分のために働かない」「仕事は選ばない」と決めた**ことだけです。そうしたら、**周囲の人たちが勝手に私をここに連れてきてくれた。私が気づかなかった私の得意を見つけ、私にチャンスを与え、私がまったく想像もしていなかった未来につれてきてくれた**のです。

私が多くの人に知ってほしいのは、こういう人生もあるということです。たしかに目標を立て、方向性を決め、ゴールに向かって突き進んでいく人生もあるかもしれない。しかし、そんなものはなく、ただ無欲で自分の身をマーケットに投げ出し、生きていく方法もあるということです。

私は自分で何も選ばなかったがゆえに、多くの偶然に出会うことができたのだと思います。そして、多くの偶然を活かすことができた。もし「私はコピーライターだから広告の仕事しかしない」と言い張っていたら、今の私は絶対にありませんでした。

「できるんじゃない?」という一言を信じて、苦しかったけれど、やってみた。難しかったけれど、挑んでみた。せっかくのご縁だからと、新しい仕事に向かってみた。それが、思わぬ仕事人生を作ってくれたのです。

フリーランスになって、お金も稼げるようになり、びっくりするほど充実した日々が送れるようになり、加えてこれも意識するようになっていきます。

「自分の運を信じよう」

講演では、ノミの話をよくします。ノミをガラスの瓶に入れる。元気よく跳んでいたノミは、蓋をされると頭をぶつけるので、蓋ギリギリまでしか跳ばなくなる。ところが、蓋を外しても、やっぱり蓋ギリギリしか跳ばなくなる。

多くの人が、勝手に自分の人生に蓋をしているのです。私はそれを早い段階で取り外しました。「こんなふうになるはずがない」「こんなものが手に入るはずがない」「こんな仕事ができるはずがない」。そういう思いをすべて排除したのです。

やがて自分が取材を受ける立場になり、著名な社長の人たちと一緒に食事の場を囲むようになり、講演に呼ばれ、テレビにも出るようになりました。意識の天井を取り払い、ゴールを設定しなかったからこそ、こういうことは起きたのだと思っています。

そして多くの成功者への取材で、彼らの成功の理由を聞く機会をたくさんもらったのでした。その重要なキーワードの一つが、実は偶然やご縁だったことに気づいていくのです。

第一志望で入社していなかった人が出世していた

冒頭で、偶然に会社を選んだ後の社長の話を書いていますが、多くの会社のエースクラスに取材すると、実は就活に失敗した人が少なくありませんでした。第一志望の会社には入れなかった、というのです。

もしかすると、その失敗自体が、後の成功に結びついたのかもしれません。人事コンサルティング会社のマーサージャパンの元社長、**柴田励司**（れいじ）さんに取材をしていて、興味深い話を聞きました。

次世代リーダーの育成モデルを探っていて、いろんな会社で同期トップを走っている社員にインタビューをしたことがあったそうです。そうすると、早く選抜される人には共通項があった。

その第一が、第一志望で入社していないこと、だったというのです。第一志望の会社に入ることが、必ずしも後の成功を約束されているわけではなかった。むしろ、それがネガティブに作用してしまうことがある。理想の会社に入れたと、目標を達成した気分になってしまう人も多かったというのです。そうすると、入ってから伸びない。伸びようという意欲も湧かない。

もし私が希望していた会社に入っていたら、どうなっていたか。それこそ、入社しただけで有頂天になり、まともな仕事ができなかったかもしれない。自分の力を勘違いして、何かおかしなことをしでかしてしまったかもしれない。

希望でない会社に入ったからこそ、自分自身に危機感を持ったわけです。新しいことにチャレンジしようとしたし、貪欲に成長を求めた。満足いく状況になかったからこそ、頑張ることができた。痛い目にも遭ったけれど、そこから行動を起こしたからいろんな偶然に、チャンスに出会えた。

実際、先の人事コンサルタント、柴田さんによると、第一志望ではない会社だったからこそ、生まれる気概があったのだそうです。不満もあるが、だったら自分でこの会社を変えてやろうと考える。この会社を踏み出しにして大きくステップアップしてやろうと考える。

仕事人生は長いのです。最初の会社に入ったタイミングは、間違ってもゴールなどではない。実はそこからがスタートなのです。**すべての勝負は、社会に出た後から始まる**のです。

そして長い社会人人生においては、さまざまな偶然が起こる。さまざまなご縁が生まれる。チャンスもやってくる。そうしたものを敏感にキャッチして、新しいステップへとつなげられるかどうか。

何度も書きますが、未来のことは誰にもわかりません。何が起こるか、予想もできない。安定していた会社が突然、倒産してしまったケースだってある。買収されて、まるで違う会社になってしまうかもしれない。

本当はゴールなど、持てないのです。それが不安という人もいるかもしれない。しかし、計算できる未来は、果たして面白い未来でしょうか。想定していなかったような未来に連れていってもらえるかもしれないのです。

人気ドラマのセリフではありませんが、最終回がわからないからこそ、面白いのです。わからないから、ドキドキするのではないでしょうか。どうせ誰にもわからない未来なら、どんな未来が来るのか、楽しみに待ったほうがいいと思うのです。

誰もやりたがらない仕事を率先して希望した池上彰さん

人事コンサルタントの柴田さんのインタビューで、早く抜擢された人の共通点の第一が、第一志望の会社ではなかったことだったと書きましたが、実はもう一つの共通点がありま す。第二は、**若いうちに修羅場を経験していたこと。**海外だったり、まったく違う事業をしている子会社だったり、異文化の中に放り込まれた経験があることでした。

大きな会社の経営者ともなれば、さぞやエリートコースを歩んだのかと思いきや、まったく違っていた人も少なくありませんでした。先に元ソニー社長を務めた出井さんについて紹介していますが、出井さんもそうだったし、出井さんの仲間の社長もそうだったと語っていました。

会社の看板ブランドや看板事業に配属されず、自分はエリートコースに乗れなかったと頭を悩ませる若い人も少なくないようです。しかし、看板ブランドや看板事業はそもそも強い事業。取引先も盤石で、安定していたりする。その事業で仕事をするのと、そうでない事業で仕事をするのとでは、どちらが鍛えられるでしょうか。

先に紹介したリクルートホールディングスの出木場社長やパナソニックホールディングスの樋口専務など、最初は本人も驚くような配属先からスタートしていました。ところが、そこで修羅場を経験することができた。だから、大きく成長することができたのです。

いきなり会社の中枢で仕事をしたり、商品開発やマーケティングなど事業の本丸で仕事をしたいと考える人もいますが、果たして本当に戦力になれるのか。マーケットも商品もよく理解できていない中で、周囲をハッとさせるような仕事ができるか。

それよりも現場で汗をかいたほうがいい。最前線で何が起きているのかを、つぶさに見てきたほうがいい。それは、若い人にしかできないことでもあります。

かつてこんなことを語っていた経営者がいました。事業に何かを提案しようというとき、部長に求めるものと、若い社員に求めるものは違うのだ、と。部長には、ある程度、戦略的な提案を求める。しかし、若い人にはそんなものは求めない。若い人に求めるのは、若い人にしかつかめない、現場の最前線に即した提案なのだ、と。

本気で成長したいと思うなら、誰もが行きたがるような部署ではなく、誰も行きたがらないような部署に手を挙げることが有効かもしれません。そのほうが、間違いなく鍛えられるから。たくさんの経験を積むことができるから。

実際、こんな人もいます。NHK在職時、誰もやりたがらない仕事を率先して希望していたと語っていたジャーナリストの**池上彰**さん。苦労の多い通信部に手を挙げたり、同僚の多くが避けたがった警視庁担当を2年間務めたり。

苦しかったそうです。連日の夜討ち朝駆け。大晦日も正月もない。深夜の呼び出し。遺体もたくさん見た。地獄のような2年間だったそうですが、一度、地獄を見ると、世の中に辛い仕事はなくなったと語っていました。そして、キャスター抜擢につながっていくのです。

その意味で、**むしろエリートコースに配属されたなら、危機感を持ったほうがいい**かもしれません。修羅場を経験したり、異文化を経験したりすることが難しくなる可能性があるからです。

不本意な配属は実はポジティブな兆しなのかもしれないのです。一見、マイナスに見えたことが、後には大きなプラスの要因だったことに気づけたりするのです。

12回転職をしたことでも有名になった経済評論家の**山崎元**（はじめ）さんが取材で強調していた話

を、今もよく覚えています。それは、最も危険なのは成長できない状況に身を置くこと、でした。

いきなりマーケットに放り出されても、通用できる力を身に付けておけるか。その意識は、社内でも社外でも活きてくるはずです。

起きていることには、すべて何か意味がある

成功者に共通していることとして、起きたことを糧にしていく、という思考もあります。ネガティブなことが起きても、そのこと自体を引きずらない。残念だと決めつけて、辛い日々を過ごしたりしない。もしかすると何か意味があったのではないか、とポジティブに受け止める。

起きていることには、すべて何か意味があると考えるのです。そして、何かのアクションにつなげてみる。そこから行動を起こしてみる。これは、偶然やご縁に敏感になる、と

いうことでもあります。

実のところ、転機になるような偶然やチャンスは、わかりやすい形でやってくるとは限りません。いくつかのステップを経ることになるケースもある。まさに、私の場合もそうでした。

ベンチャー起業家に数多く取材することになるメディアとの出会いは、まったく別の情報誌で小さな仕事を出してくれた人の異動がきっかけでした。「こんな小さな仕事をお願いしていいですか」と問われて引き受けなかったら、新しい出会いはありませんでした。

書籍の仕事との出会いも、マネー誌の仕事をし、そこから噂を聞きつけた大手広告代理店のプロジェクトに加わらなかったら、ありませんでした。採用広告と著名人のインタビューで忙しかった時代。それ以外の仕事は断る選択肢もあった。しかし、引き受けたからこそ、書籍という新しい世界を切り開くことができたのです。

その後も、びっくりするようなご縁が生まれていきました。最大手出版社とのつながりを作れたのは、私の会社の税理士でした。偶然にも大手PR会社の財務担当役員をしており、その会社が契約しているアスリートの本を書かないか、と連絡を受けたのです。

なぜ税理士から本の依頼が、と驚きましたが、彼は税務を担当していましたから、私の仕事の内容を知っていた。それで役員会で出たアスリートの書籍について、私を推薦してくださったのです。このときに出会った編集者が、後に私の最初の自著の編集担当になります。

さらに、別の大手出版社は、雑誌の仕事で一緒になった同業のライターからつながりました。知り合いのベンチャーの社長が、事業拡大について悩んでいる。相談に乗ってもらえないか、と言われたのです。クックパッドという会社でした。

聞けば、行っているビジネスで取引先の決裁が課長までは下りるが、部長になると途端に下りなくなるといいます。私が提案したのは、中高年世代に信頼感の高い書籍を作ることでした。すると、「あなたに書いてほしい」と言われました。

こうして、特定企業や組織について書くという新しい私のスタイルが生まれていきました。後にリブセンスやボルテージ、成城石井やドトール、ローソンやマイクロソフト、サイバーエージェントやＪＡＬ、さらには明治大学やパナソニックなど、多くの会社や組織について本を書くことになります。これも、始まりはたまたまの偶然だったのです。

チャンスは案外、目の前にたくさんあるのだと思います。しかし、その姿は最初からはっきりしているわけではない。だから、まずは近づいてみることが大切なのです。アクションを起こしてみる。それはチャンスだったことに、後から気づけたりするのです。

起きていることには、すべて何かの意味があるのかもしれないのです。

「それは、社長を目指さないこと」

社長にインタビューする機会があると、「どうして、この会社に入られたのですか」とこっそり質問していた、という話を書きましたが、実はもう一つ、よくしていた質問があります。

「どうやったら、こんな立派な会社の社長になれますか?」

会社を選んだ理由が偶然だったと多くの社長が語っていたと書きましたが、この質問の返答も多くの社長で似通っていました。

「それは、社長を目指さないこと」

社長になりたい人を社長にしてはいけない、と語っていた人もいました。理由は単純で、

社長がゴールでは困るからです。社長というポジションは、ある意味「ツール」なのです。社長になって、この会社をこれからどうしていくか、ということこそが求められる。

思わず感じたのは、「たしかにそうだよな」でした。それこそ、「社長になりたい」という人を果たして社長にするか。それよりは「社長になって会社を引っ張ってくれる人」「社長になって何かをやってくれそうな人」を選ぶでしょう。

これ、取締役でも部長でも課長でも同じだと思いました。取締役や部長や課長になることがゴールでは困るのです。そのポジションを通じて何をしたいか。何ができるか。それこそが問われるのです。

ネスレ日本の元社長でマーケティングのカリスマと呼ばれた**高岡浩三**さんが、興味深い話をしていました。**自分が一つ上のポジションにいたらどう考えるか**、といつもシミュレーションしていた、と。また、自分が担当している部署以外の事業についても、よく考えていたというのです。

それが思考のトレーニングとなり、どんなテーマについて上司に聞かれても、いつも答えが用意してあったそうです。

実際、10年にわたって右肩下がりになっていた「ネスカフェ」のビジネスについて問われたとき、インスタントコーヒーの難しさを伝えた。ここから、プロフェッショナルが堂々と使える「ネスカフェ」を作れば一気にイメージが変わるだろう、と考えたというのです。

高岡さんは、ホワイトカラーは考える仕事をしていない、と語っていました。やっているのは、ほとんど作業。考える時間を増やすだけで、思考力は雪だるま式に高まっていくはずだ、と。

平社員時代は、課長の立場で仕事を眺める。課長時代は、部長の立場で仕事を眺める。一つ上のレイヤーから見ていくのです。課長だったらどうか、部長だったらどうか、と考えてみる。求められているのは、考えること、なのです。

ちなみに高岡さんは、小学校5年生のとき、父を42歳で亡くしていました。この境遇が、実力次第で活躍の場が早く広がりそうな外資系という選択につながりました。しかも、長男として母の面倒を見ないといけない。

地元の関西に本社があって、自社ブランドもマーケティングも強い外資系というと、2社しか浮かばなかった。その一つが、ネスレ日本だったのです。自分の境遇が、会社選びに直結していたのです。

神様から、お前もなんかせい、と言われて人は生まれてくる

突き抜けた成功をしている人たちは、なるほど、こんなふうに考えるのか、と驚いた取材がありました。例えば、作家の**五木寛之**さん。

五木さんが言われていたのが、他力主義でした。自分に与えられた運命をそのまま受容する。**天に生かされていると考える**。物語を作る能力を与えるから、その能力を発揮して、世の中の人に語りかけなさい、と言われたのだ、と。

やりなさいと言われたことを、受け入れただけなのだ、ということです。やりなさいと言われたのだから、きっとその力があるはずだ。その力によって、世の中の役に立つことを考えよう、と。

「好きなこと」「やりたいこと」の危険も語られていました。歌が好きで、好きで歌っている人は、途中で挫折するのだといいます。芸能界が嫌になったり、歌に疑問を持ったり。

そんなとき、五木さんはこう語りかけるのです。

あなたは歌でみんなを喜ばせるというミッションを与えられたのだと思いなさい。そうすると、たとえ辛いことがあっても、生涯歌い続けられるよ、と。まさに、視線を内から外へと変えていく、ということなのだと思いました。

何かに生かされていると思うと、心穏やかになれると五木さんは語っていました。余計なことは考えない。起きていることを受け入れるのです。大きな流れが、今そういう状況に自分を運んでいるのだと考える。成功も、見えない力が後ろから背中を押してくれただけなのだ、と感じる。生かされる人生を素直に受け入れ、懸命に生きる。

何をしなければいけないのかを必死に模索するのではなく、与えられたことに取り組んでいく。生きている意味を自分で受け入れてみる。それを使命と受け止め、それで世の中の役に立っていこうという、そういう人生もあるということです。

落語家の**笑福亭鶴瓶**さんも、同じようなことを語っていました。

ゴールデンタイムみたいな仕事だけが偉いのではない。**小さな世界でも、そこで必要とされることに意味がある。**そこから始まっていくのです。

神様から、お前もなんかせい、と言われて、人は生まれてきている。だから、それを一生懸命にやればいい。自分を信じる。焦らない。種を蒔いて、花が咲くのを待てばいい。売れないのはちゃんとチャンスを与えてくれないからだ、という若手がいたそうです。でも、そうではない、と鶴瓶さんは言うのです。**チャンスが来る前に、日常からきっちり準備をしておかないといけない。小さなチャンスから、自分の型が出せるようにしておかないといけない。**

そうでないと、スポットが当たったときに間に合わないのです。準備ができているから、スポットが当たるチャンスをつかめるのです。「神様から、なんかせい」と言われた、やるべきことを、しっかりやっていくことこそ、大切なのです。

まずは目の前の仕事に懸命に取り組む

ベストセラーになった『置かれた場所で咲きなさい』というタイトルの本があります。実は私はお恥ずかしながら中身は読んでいないので批評はできないのですが、このタイトルにはとても共感します。そしてこれは、多くの成功者に聞いた仕事選び、会社選びと同じなのではないか、と感じていました。

実は「置かれた場所」、つまり会社や仕事は、もしかすると、それほど大きな意味を持たないのではないか、ということです。

問われるのは、**たまたま「置かれた場所」にどのくらいちゃんと向き合えるか。「置かれた場所」で、どのくらい無心で頑張れるか。どのくらい真摯に努力できるか**、ということです。

それなのに「置かれた場所」は正しいのか、自分に合っているのか。自分の将来にプラスになるのか、といったことばかり考えて、最も大事な目の前の仕事に向き合えていない人が、たくさんいるのではないか。そんな印象を持つのです。

たくさんの成功者、うまくいっている人に会い、最も強烈に教わったことといえば、「目の前のことにしっかり向き合う」ことの大切さだったように思います。実際、どうしてうまくいったのか、と尋ねると、決まって「目の前のことだけ考えてきた」と返ってくるのです。

ミュージシャンで俳優、ＮＨＫ紅白歌合戦でトリを務めたこともある**福山雅治**さんの取材を、よく覚えています。世代を超えて支持されるスターの一人ですが、取材ではあっさりとこう語っていました。

「こうしようと思ってここまでやってきたわけではないんです。気がついたら、こうなっていたんです。そもそも自分は何者でもないと思っています」

目の前のことを懸命にやってきただけ。しかも、事務所スタッフを中心としたチームで、自分のやるべき役割をしっかり果たしていくことだけを考えていた。そうすると、次々にチャンスを得ることができた。

折しも世界的な超ビッグネームのミュージシャンやハリウッドスターたちに取材をしたことがある人に話を聞いたのですが、彼ら彼女らにどうして成功したのかを尋ねると、いつも**「目の前のことを一生懸命やってきただけだ」**と返ってきたそうです。

とんでもない成功者ですから、何か特別なメソッドでもあるのではないか、と毎回期待をして聞くのだが、決まって「目の前のことを一生懸命やってきただけ」と返ってくる。これには拍子抜けしてしまう、と。

仕事でうまくいくために、人生を成功させるために、書籍でもネットでも、たくさんのヒントやメソッドが溢れています。また、良い仕事キャリアを作ろうと、懸命に未来のことを考えている人もいます。

しかし、その前にやるべきことがあるのだと思うのです。それは、目の前のことをしっかりやることです。目の前のことにこそ、ちゃんと向き合うことです。目の前のことに懸命に努力することです。

この仕事は自分に向いているのか。このキャリアは正しい選択なのか。次にどんなステップに進むのがいいのか。そんなことを考えるよりも、まずは目の前のことに向き合う。目の前のことに全力で立ち向かう。そして、新たな偶然やチャンスを待つのです。

偶然に出会った仕事であれ、自ら選んだ仕事であれ、まずは目の前の仕事に懸命に取り組むことです。それこそが、最も大事なこと。

実は良い仕事をするヒントや、良いキャリアをつかむヒントを尋ねても、あまりメソッド的なことを語りたがらない成功者も少なくありませんでした。そんなことを考えるよりも、目の前のことをちゃんとやれ、一生懸命やれ。それが一番大事なのだと、それこそが次なる偶然を生んでくれる、チャンスを生んでくれるのだ、と伝えたかったのだと思っています。

大事なことは、五感を研ぎ澄ませておくことです。**偶然やチャンスに反応できる感覚を**

磨いておくこと。時には、向かうべき選択を決断できる直感を養っておくこと。考えて簡単に答えが出るような選択ばかりではないのです。だからこそ、感じる力を鍛えておく。偶然をつかまえる力を備えておくことです。

映画監督の**井筒和幸**さんへの取材を覚えています。一流の職人が詐欺師に引っ掛かったなんて、聞いたことがない、と。感覚の鋭い人たちは、危ういことも見抜くのです。

偶然をもっと信じてみる。偶然を楽しんでみる

人は、自ら選択をして生きている。そう考えている人が多いと思います。しかし、本当にそうなのでしょうか。では、その選択肢は、どのようにして出てきたのでしょうか。

もしかすると、星の数ほどもある選択肢の中から、ほんの一部だけが目の前に提示されているだけなのかもしれない。そのほんの一部が選ばれたのは、極めて偶然の産物によるものだと思うのです。

日本に生を受けたこともそう。生まれた場所もそう。両親もそう。兄弟もそう。自分でコントロールできたわけではありません。壮大な偶然によって、育まれたのです。

新しい人たちとの出会いも同様です。人と人とが出会う。多くの場合、偶然の出会いなのではないでしょうか。たまたま学校が一緒、クラスが一緒になる。会社の同期になる。職場の先輩や上司になる。取引先の担当者になる。パーティでばったり会う。飲み会で一緒になる。友達が連れてきた。新幹線の席が隣になった、なんてこともあるかもしれません。これもまた、自分でコントロールできるものではありません。

サッカーを始めた人は、なぜ始めたのでしょうか。ピアノを始めた人は、なぜ始めたのでしょうか。読書が好きになったのは、たまたま家にたくさん本があったから？　機械いじりが好きになったのは、たまたま祖父の影響を受けたから？

数千人もの人にインタビューをしてきましたが、本能でこれを始めたという人に、私はお目にかかった記憶がありません。ほとんどが周囲の環境によって影響を受けていたのです。その環境とはすなわち、偶然だったのではないでしょうか。

もっと言うと、採用が決まる、決まらない、も偶然の要素が極めて大きかったりします。たまたま面接官との相性が良かった。ちょうどポジションに空きが出た。たまたま経験が活きる職種が募集になっていた。

そう考えていくと、もしかして目の前で起きていることは、ほとんどは偶然の産物なのではないか、とすら思えてきます。たまたま見たネット記事。たまたま見たテレビ番組。たまたま知ったイベント。たまたま見た募集広告。**いろいろな偶然が積み重なって、人生はできている**のではないか、と。

そうだとしたら、もっと偶然を大事にしたほうがいいと思うのです。**偶然を意識的に捉える。偶然の意味を考えてみる。偶然がもたらしているものをイメージしてみる。偶然を楽しみ、面白がる。偶然を受け入れ、偶然に身を委ねてみる。**

もっと偶然にしっかり目を向けることで、見えてくる何かがあるような気がします。大きな成功を遂げた人たち、幸せな仕事人生を手に入れた人たちは、そうした偶然を面白がって受け入れ（それが仮にネガティブに思えたものだったとしても）、偶然のうねりのようなものに直感的に反応し、もちろん努力を重ねながらも、まさに偶然にうまく乗っていった人たちなのではないか、と思うのです。

楽器ができないのにバンドに誘われ、気づけばリーダーになり、プロデビューしてしまった、という人がいました。奇跡のような話でした。いつか映画を撮りたいと思っていたらプロデューサーと食事をする機会があり、夢中になって映画の話をしていたら、「撮ればいいよ。1億円出すよ」と言われたという俳優がいました。これまた奇跡のような話でした。

でも、偶然を信じるなら、奇跡のような話、びっくりするような話は、誰にでも起きると思っています。

「そんなことは起こるわけがないよ」と思っている人のところには、そういう奇跡はやってこない。偶然を求めて動かないから。計算ばかりして動いている人のところにも、奇跡はやってこない。**びっくりするような偶然は、計算では生まれない**から。

偶然をもっと信じてもいいのではないでしょうか。偶然を面白がり、楽しんでもいいのではないでしょうか。偶然をもっとポジティブに捉えてもいいのではないでしょうか。そのためにも、偶然が起こるようなアクションをたくさん起こすことです。

スマホですぐにいろんな答えを出せてしまう時代だからこそ、簡単に答えの出せない偶然は、もっともっと人生を豊かなものにしてくれる。そんな気がするのです。自分のまわりの偶然に、ぜひ目を凝らしてみてください。その意味に、向き合ってみてください。

第6章のまとめ

- 自分のためだけに仕事をしようとしている人と、
  まわりのために頑張ろうとしている人と、
  どちらを応援したくなるか
- エリートコースに配属されたなら、危機感を持ったほうがいい
- チャンスが来る前に、
  日常からきっちり準備をしておかないといけない
- まずは目の前の仕事に懸命に取り組む
- びっくりするような偶然は、計算では生まれない

おわりに

戦後、日本を代表する企業を育て上げ、経営の神様と呼ばれたパナソニックの創業者、松下幸之助さんに興味深いエピソードがあります。採用面接のときに必ず、こう聞いていたというのです。

「あなたは運が良いですか？」

読者の皆さんは、どう答えるでしょうか。自分は運が良いか。それとも悪いか。

興味深いのは、まったく同じ人生だったとしても、幸運だったと思う人と、不運だったと思う人がいることです。同じ状況にあるのに、幸せだと思う人と、不幸だと思う人がいる。

幸之助さんの質問の意図はさまざまに語られていますが、自分を「運が良い」と言える人は、いろいろなことをポジティブに捉えられる人ということなのでしょう。謙虚に自分を見つめている。起きていることに感謝できる。

そういう人は、苦しいことがあっても、乗り越える力を持っている。この先も幸運が待ち構えている可能性が高い、ということなのかもしれません。

私がたくさん取材をすることになった成功者は間違いなく、運が良い人たちでした。思わぬところで、思わぬ偶然が起きたり、出会いがあったり、助け船を出してくれる人がいたり。では、なぜ彼らは幸運をつかめたのか。

少なくとも言えることは、正しいことをしていた、ということだと思います。正しい志を持ち、正しい努力をしていた。正しくないことをしている人を、応援する人はいません。仮にいたとしても、長続きはしない。正しいことだからこそ、人はついていくのです。

ただ、人前で正しいことをするのは、案外、難しくないのではないか、とも思っています。実は問われるのは、誰も見ていないところで、どんな自分でいられるか、です。そういうところにこそ、生きる哲学、美学は表れるのです。

例えば、誰も見ていないから、と会社の帰りの夜道で人の家の前にゴミを捨てる。煙草の吸い殻を捨てる。空き缶を置いていく。誰にもわからないから、と匿名でネット上での誹謗中傷を行う。ひどい言葉を書き連ねる。炎上に加担する。

たしかに匿名での行為なら、誰も見ていません。しかし、一人だけ見ている人がいることに気がついておく必要があります。それは、誰あろう、自分です。自分が何をしているのか、自分だけは間違いなく見ているのです。

正しくないことをしている自分を見て、果たして自分はどう思っているのでしょうか。これは、夜中のゴミ捨てや匿名でのネット投稿に限りません。毎日の生活習慣、人に対する態度、知り合いのいない場所での行動……。

正しくないことを自覚しているならば、それは自分自身を大きく毀損(きそん)していることに気づく必要があります。自分はダメなヤツだ、と自分で刷り込んでいるようなものです。そんな人が、自分を信じられるはずがない。自分を信じられないのに、運が良くなるはずがない。

運の良い人は、意識しているかどうかは別にして、運が良くなるような行いをしています。運が良くなるに足ることをしている。何より、そのことを自分自身がわかっている。

本書を読んでくださった方が、幸運をつかまれることを祈ります。毎日をちょっと変えるだけでも、心構えをちょっと変えるだけでも、それはできます。幸運は案外、遠くにあるわけではない。そのことに、きっと気づかれると思います。人生は、ひょんなこと、ひょんな偶然から変わっていくのです。

例えば、神社に行く習慣を持つのもいい。神頼みではありません。これも神社に取材をして神主の方に教わったのですが、お詣り(まい)をしたら、するべきはお願いではなく、お礼です。おかげさまで、という感謝なのです。覚えておかれるとよいと思います。

最後になりましたが、本書の制作にあたっては、ダイヤモンド社の亀井史夫さんにお世話になりました。ダイヤモンド・オンラインの連載「定番読書」で取り上げた一冊を端緒に、私なりの仕事選び、会社選びについて伝えたところ、興味を持ってもらえたのが本書刊行のきっかけでした。

また、取材をさせていただいた、多くの方がおられてこその本書です。3000名を超える方々に、この場を借りて、御礼申し上げます。

2024年5月　上阪徹

〈出典〉

書籍

『プロ論。』『プロ論。２』『プロ論。３』(徳間書店、B-ing編集部)
『外資系トップの仕事力』『外資系トップの仕事力Ⅱ』『外資系トップの思考力』
『外資系トップの英語力』(ダイヤモンド社、ＩＳＳコンサルティング)
『我らクレイジー★エンジニア主義』(講談社、リクナビNEXT Tech総研)
『１分で心が震える　プロの言葉１００』(東洋経済新報社、上阪徹)
『熱くなれ　稲盛和夫　魂の瞬間』(講談社、稲盛ライブラリー＋講談社)

ウェブサイト

「アイティメディアビジネスオンライン」(アイティメディア)
「ミモレ」(講談社)

雑誌

『就職ジャーナル金融ビジネス読本』『週刊B-ing』『就職ジャーナル』(リクルートホールディングス)
『週刊現代』(講談社)
『ＡＥＲＡ　現代の肖像』(朝日新聞出版)
『理念と経営』(コスモ教育出版)
『ＧＯＥＴＨＥ』(幻冬舎)

［著者］

上阪 徹（うえさか・とおる）

1966年、兵庫県生まれ。89年、早稲田大学商学部卒。アパレルメーカーのワールド、リクルート・グループなどを経て、94年よりフリーランスに。幅広く執筆やインタビューを手がけ、これまでに取材した著名人は3000人を超える。ブックライターとして、これまで100冊以上の書籍を執筆。携わった書籍の累計売上は200万部を超える。『成功者3000人の言葉』（三笠書房　知的生きかた文庫）、『ブランディングという力　パナソニックはなぜ認知度をV字回復できたのか』（プレジデント社）、『１分で心が震えるプロの言葉100』（東洋経済新報社）、『JALの心づかい』（河出書房新社）、『マイクロソフト　再始動する最強企業』（ダイヤモンド社）、『成城石井はなぜ安くないのに選ばれるのか？』（あさ出版）、『10倍速く書ける　超スピード文章術』（ダイヤモンド社）、『職業、ブックライター。』（講談社）など著書は50冊を超える。『熱くなれ　稲盛和夫　魂の瞬間』（講談社）、『突き抜けろ　三木谷浩史と楽天、25年の軌跡』（幻冬舎）などのブックライティングを担当。インタビュー集に40万部を超えた『プロ論。』シリーズ（徳間書店）、『外資系トップの仕事力』シリーズ（ダイヤモンド社）、『我らクレイジー★エンジニア』（講談社）など。2011年より宣伝会議「編集・ライター養成講座」講師。2014年、「上阪徹のブックライター塾」開講。雑誌、ウェブでは、「AERA 現代の肖像」「GOETHE」「Forbes JAPAN」「東洋経済オンライン」などで執筆。公式サイト　http://uesakatoru.com

彼らが成功する前に大切にしていたこと

——幸運を引き寄せる働き方

2024年６月25日　第１刷発行

著　者——上阪 徹

発行所——ダイヤモンド社

〒150-8409　東京都渋谷区神宮前6-12-17

https://www.diamond.co.jp/

電話／03･5778･7233（編集）　03･5778･7240（販売）

装丁･本文デザイン—小口翔平＋畑中茜＋青山風音（tobufune）

イラスト——植田たてり

DTP･図版作成—スタンドオフ

校正————鷗来堂

製作進行——ダイヤモンド・グラフィック社

印刷————勇進印刷

製本————ブックアート

編集担当——亀井史夫（kamei@diamond.co.jp）

ISBN 978-4-478-12026-2